忍《にん》者《じゃ》大図鑑

人物・忍《にん》具《ぐ》・忍《にん》術《じゅつ》

山田雄司 監修
グラフィオ編

全国各地で暗躍《あんやく》した忍者《にんじゃ》の実像《じつぞう》にせまる！

歴史の表舞台《おもてぶたい》にはすがたをみせず、水面下で過酷《かこく》な任務《にんむ》を遂行《すいこう》した忍者《にんじゃ》たち。この本では、現存《げんそん》する忍術書《にんじゅつしょ》をもとにして、実在《じつざい》した忍者《にんじゃ》たちの人物伝や、忍具《にんぐ》や忍術《にんじゅつ》などを、迫力《はくりょく》あるイラストとともに紹介《しょうかい》しています。忍者《にんじゃ》たちの壮絶《そうぜつ》な人生と、奇想天外《きそうてんがい》な世界観をご堪能《たんのう》ください。

もくじ

この本の見方

人名の通称《つうしょう》について

江戸《えど》時代以前、本名での呼称《こしょう》をさける風習があり、仮《かり》の名である通称《つうしょう》（仮名《けみょう》）をつけて、自他ともに使用していました。この本では、通称《つうしょう》で知られる人物は通称《つうしょう》で表記し、本名は文中で補足《ほそく》しています。

例：「服部半蔵《はっとりはんぞう》」→半蔵《はんぞう》は通称《つうしょう》で、本名は服部正成《はっとりまさなり》。

「頭領《とうりょう》」の呼称《こしょう》について

忍者衆《にんじゃしゅう》をひきいた人物は、首領《しゅりょう》、頭目《とうもく》、頭首《とうしゅ》などの呼称《こしょう》がありますが、この本では「頭領《とうりょう》」で統一《とういつ》しています。

人物のイラストについて

忍者《にんじゃ》は、人物像《じんぶつぞう》がわかるような肖像画《しょうぞうが》などの資料《しりょう》がとぼしいため、この本では、人物の伝承《でんしょう》や、当時の服装《ふくそう》や装備品《そうびひん》などの資料《しりょう》をもとに、イメージ化したイラストをえがいています。学術的《がくじゅつてき》な再現《さいげん》をはかったものではありません。

「大坂《おおさか》」の表記について

現在《げんざい》の「大阪《おおさか》」は、明治《めいじ》時代初頭までは「大坂《おおさか》」と表記されていました。この本の文中では、昔の地名をあらわすときは「大坂《おおさか》」、現在《げんざい》の地名をあらわすときは「大阪《おおさか》」と表記しています。

謎《なぞ》ゆえに興味《きょうみ》つきぬ「忍者《にんじゃ》」の実像《じつぞう》

監修《かんしゅう》 山田雄司《やまだゆうじ》

「忍者《にんじゃ》」とは、いわゆる「スパイ」のことです。彼《かれ》らは、ひそかに敵《てき》の情報《じょうほう》をさぐり、誰《だれ》にもさとられないように情報《じょうほう》をあやつって、ときに暗殺《あんさつ》をもこなしたといいます。秘密《ひみつ》という意味をもつ「忍《しのび》」の文字があらわすように、忍者《にんじゃ》たちの活動が、世の中にでまわるべきではない機密情報《きみつじょうほう》をあつかっていたため、具体的にどのようなことをしていたのかは、その当時から現在《げんざい》にいたるまで、多くが謎《なぞ》につつまれたままです。

今や忍者《にんじゃ》は、日本を代表するひとつの文化として、海外でも大きな人気をよんでいます。ただし、そこであつかわれる忍者《にんじゃ》は、超人的《ちょうじんてき》な技《わざ》や術《じゅつ》をつかうような、ある意味ファンタジックなものです。日本においても、忍者《にんじゃ》についての正しい知識《ちしき》が浸透《しんとう》しているかといえば、首を横にふらざるをえません。

忍者《にんじゃ》は、たしかに存在《そんざい》していました。とくに、戦国時代には、全国各地で忍者《にんじゃ》たちが活躍《かつやく》し、日本の歴史に少なからず影響《えいきょう》をあたえています。そのことを証明《しょうめい》する手がかりとして、忍者《にんじゃ》と目《もく》される歴史上の「人物」や、忍者《にんじゃ》がつかった「忍具《にんぐ》」や「忍術《にんじゅつ》」があげられます。これらは、おもに、忍者《にんじゃ》がしるした忍術書《にんじゅつしょ》や、忍者《にんじゃ》の活動にも言及《げんきゅう》した歴史書や軍記物語からよみとることができます。

謎《なぞ》の多さから、人々《ひとびと》の好奇心《こうきしん》をかきたてる、忍者《にんじゃ》の世界。彼《かれ》らの実像《じつぞう》にせまることで、その好奇心《こうきしん》は、より大きくふくらむにちがいありません。

日本の旧国名《きゅうこくめい》地図

日本の区分は、現在《げんざい》の都道府県名とはことなり、奈良《なら》時代から明治《めいじ》時代のはじめまで、下の地図にあるような「国名」がつかわれていました。この本では、戦国期に活躍《かつやく》した忍者《にんじゃ》の説明などに、それぞれの地域《ちいき》の国名をもちいています。

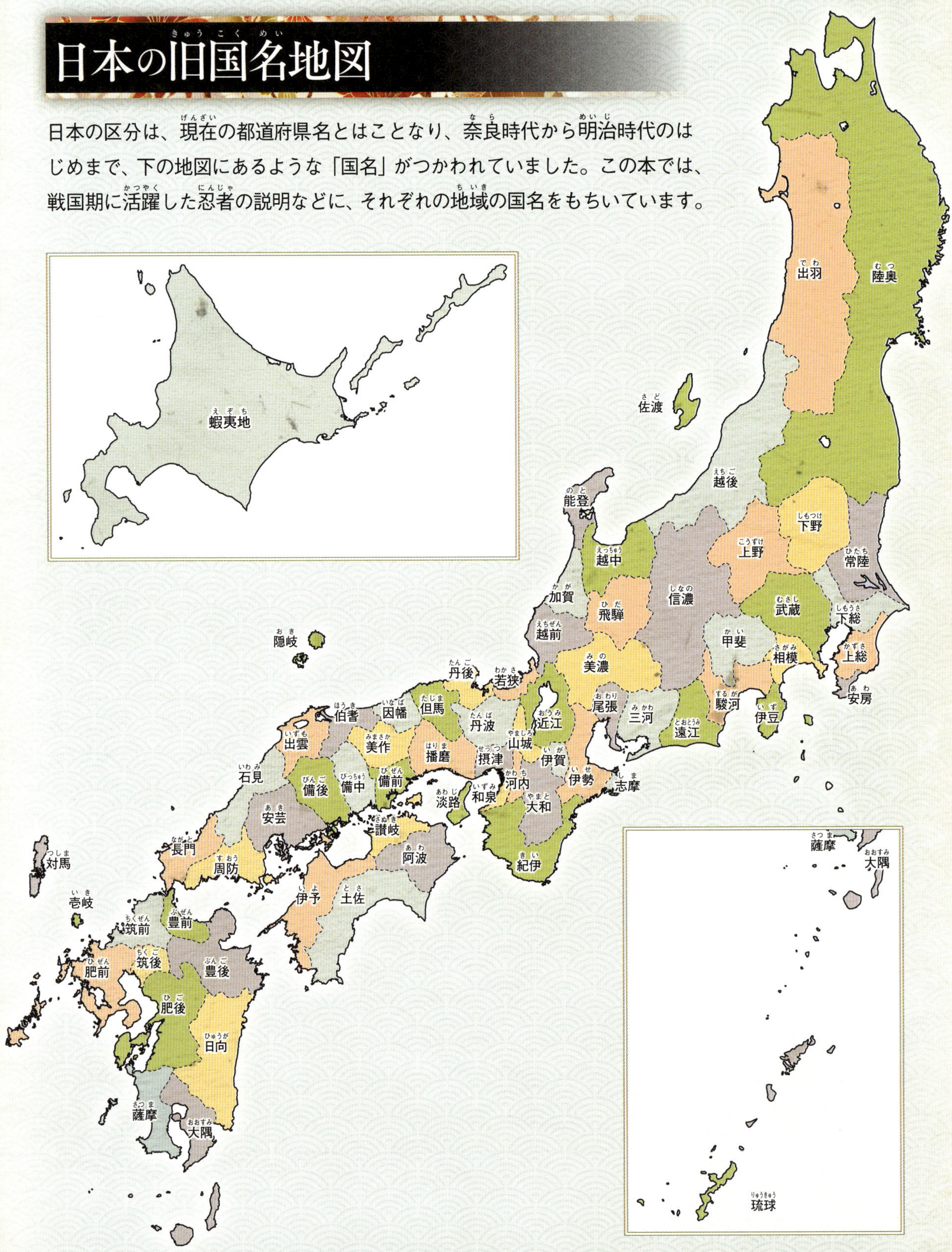

服部半蔵
百地丹波
石川五右衛門
下柘植の木猿
望月出雲守
滝川一益
山岡景友
杉谷善住坊
出浦盛清

第一章 人物伝

望月千代女
熊若
加藤段蔵
中西某
横谷左近
唐沢玄蕃
割田重勝
風魔小太郎
二曲輪猪助
琵琶法師勝一
杉原盛重
鉢屋弥三郎
雑賀孫一
大林坊俊海
曾呂利新左衛門
果心居士
猿飛佐助
霧隠才蔵
児雷也
綱手
大蛇丸

忍者《にんじゃ》のなりたち

「忍者《にんじゃ》」とは、今でいう「スパイ」のように、情報収集《じょうほうしゅうしゅう》や謀略《ぼうりゃく》、破壊《はかい》工作や暗殺などをひそかに遂行《すいこう》した人物や組織《そしき》のことです。古くは飛鳥《あすか》時代から存在《そんざい》し、戦国時代には全国で暗躍《あんやく》しました。

飛鳥《あすか》時代（七世紀ごろ）

日本最古の忍者《にんじゃ》「志能便《しのび》」あらわる

「志能便《しのび》」は、聖徳太子《しょうとくたいし》のもとで、情報収集《じょうほうしゅうしゅう》などの隠密《おんみつ》活動をおこなったとされる人物。本名は大伴細人《おおとものさびと》で、聖徳太子《しょうとくたいし》から志能便《しのび》という名をさずけられたと江戸《えど》時代の忍術書《にんじゅつしょ》にかかれているが、事実として確認《かくにん》することはできていない。

奈良《なら》時代～平安《へいあん》時代（八～十二世紀ごろ）

忍者衆《にんじゃしゅう》の源流《げんりゅう》が発生

各地の豪族《ごうぞく》たちが領地《りょうち》をあらそうなか、奇襲《きしゅう》や潜入《せんにゅう》を得意とする武装《ぶそう》集団《しゅうだん》があらわれ、のちに形成された忍者衆《にんじゃしゅう》の源流《げんりゅう》となった。伊賀《いが》の服《はっ》部《とり》氏《し》、甲賀《こうか》の望月《もちづき》氏などの有力な集団《しゅうだん》も、この時代に登場した。

鎌倉《かまくら》時代（十三世紀ごろ）

「悪党《あくとう》」の台頭《たいとう》

奇襲《きしゅう》や潜入《せんにゅう》を得意とする武装集団《ぶそうしゅうだん》が、権力《けんりょく》に対抗《たいこう》しうる力をもち、「悪党《あくとう》」とよばれる。そのなかから、〝忍《しの》び〟上手《じょうず》とよばれる者たちがあらわれた。

戦国時代の忍者《にんじゃ》について

戦国時代、全国的に忍者集団《にんじゃしゅうだん》が組織《そしき》され、各地の武将《ぶしょう》たちにやとわれてはたらきました。なお、武将《ぶしょう》との契約《けいやく》によっては、おなじ流派《りゅうは》の忍者衆《にんじゃしゅう》が、敵《てき》と味方にわかれることもありました。

おもな忍者衆《にんじゃしゅう》

伊賀者《いがもの》

もっとも有名な忍者衆《にんじゃしゅう》。伊賀《いが》に拠点《きょてん》をおく。

- 拠点《きょてん》：伊賀《いが》（三重《みえ》県）
- 主君：徳川家康《とくがわいえやす》ほか
- 実在《じつざい》した忍者《にんじゃ》：服部半蔵《はっとりはんぞう》ほか

（10ページ）

三ッ者《みつもの》

武田信玄《たけだしんげん》が独自《どくじ》につくった忍者衆《にんじゃしゅう》。

- 拠点《きょてん》：信濃《しなの》（長野《ながの》県）
- 主君：武田信玄《たけだしんげん》ほか
- 実在《じつざい》した忍者《にんじゃ》：熊若《くまわか》ほか（30ページ）

甲賀者《こうかもの》

伊賀《いが》とならび有名な忍者《にんじゃ》衆《しゅう》。「こうか」とよむ。

- 拠点《きょてん》：近江《おうみ》（滋賀《しが》県）
- 主君：徳川家康《とくがわいえやす》ほか
- 実在《じつざい》した忍者《にんじゃ》：望月出雲守《もちづきいずものかみ》ほか

（18ページ）

真田衆《さなだしゅう》

「真田幸村《さなだゆきむら》」で知られる真田氏《さなだし》がかかえた忍者衆《にんじゃしゅう》。

- 拠点《きょてん》：信濃《しなの》（長野《ながの》県）
- 主君：真田昌幸《さなだまさゆき》、真田信之《さなだのぶゆき》ほか
- 実在《じつざい》した忍者《にんじゃ》：横谷左近《よこやさこん》ほか

（36ページ）

南北朝時代《なんぼくちょうじだい》（十四世紀ごろ）

「忍《しの》び」の登場《とうじょう》

軍記《ぐんき》物語『太平記《たいへいき》』に、「逸物《いちもつ》の忍《しの》び」が夜中に京都《きょうと》の石清水八幡宮《いわしみずはちまんぐう》に侵入《しんにゅう》し、火をはなったことがしるされる。これが、歴史上ではじめて「忍《しの》び」が登場した記述《きじゅつ》である。

戦国時代〈室町《むろまち》時代後期〉〜安土《あづち》・桃山《ももやま》時代（一四六七年〜一六〇二年）

「忍者《にんじゃ》」の全盛期《ぜんせいき》

室町幕府《むろまちばくふ》の権威《けんい》がおとろえ、全国の大名や武将《ぶしょう》が独自《どくじ》の支配権《しはいけん》を主張《しゅちょう》しはじめる。この戦乱期《せんらんき》において、「悪党《あくとう》」のながれをくむ忍者《にんじゃ》が台頭《たいとう》。忍者《にんじゃ》は、大名や武将《ぶしょう》などの有力者にやとわれて、諜報《ちょうほう》や謀略《ぼうりゃく》や暗殺といった、いわゆる影《かげ》の仕事を手がけた。

※この時代では忍者《にんじゃ》とはよばず、「草《くさ》」「素破《すっぱ》」「伊賀者《いがもの》」「甲賀者《こうかもの》」など、地域《ちいき》ごとにちがう呼称《こしょう》があった。なお、「忍者《にんじゃ》」のよび名は、昭《しょう》和《わ》にしるされた歴史小説などで定着したとされる。

忍者《にんじゃ》の格《かく》

忍者《にんじゃ》には、上忍《じょうにん》、中忍《ちゅうにん》、下忍《げにん》とよばれる格付《かくづ》けがあったとされます。彼《かれ》らがどのような組織《そしき》を形成していたのかは不明で、地域《ちいき》によってもちがいがあったとかんがえられています。

風魔党《ふうまとう》

関東《かんとう》一帯を支配《しはい》した北条《ほうじょう》氏《し》に仕《つか》える忍者衆《にんじゃしゅう》。

- 拠点《きょてん》：相模《さがみ》（神奈川《かながわ》県）
- 主君：北条氏康《ほうじょううじやす》、北条氏政《ほうじょううじまさ》ほか
- 実在《じつざい》した忍者《にんじゃ》：風魔小太郎《ふうまこたろう》ほか

（42ページ）

座頭衆《ざとうしゅう》

中国《ちゅうごく》地方を支配《しはい》した毛利《もうり》氏《し》の忍者衆《にんじゃしゅう》。

- 拠点《きょてん》：安芸《あき》（広島《ひろしま》県）
- 主君：毛利元就《もうりもとなり》ほか
- 実在《じつざい》した忍者《にんじゃ》：琵琶法師勝一《びわほうししょういち》ほか

（46ページ）

腕前《うでまえ》ごとの格《かく》

上忍《じょうにん》

術《じゅつ》をきわめた少数の忍者《にんじゃ》。「中《ちゅう》忍《にん》」のなかでもさらに術《じゅつ》にすぐれ、名前さえのこさない忍者《にんじゃ》のことを「上忍《じょうにん》」とよんだ。

中忍《ちゅうにん》

術《じゅつ》にすぐれた忍者《にんじゃ》。習いはじめの「下忍《げにん》」から鍛練《たんれん》をつむことによって、「中忍《ちゅうにん》」となることができる。

下忍《げにん》

実動部隊を担当《たんとう》する、並《なみ》の忍者《にんじゃ》。ふだんは農業や行商などをしつつ、日々《ひび》の修行《しゅぎょう》にはげむ。合戦などに大人数で参加することもある。

伊《い》賀《が》

服《はっ》部《とり》半《はん》蔵《ぞう》

主《しゅ》君《くん》　徳川家康《とくがわいえやす》

生没年《せいぼつねん》　一五四二年～一五九六年（安土《あづち》・桃山《ももやま》時代に活躍《かつやく》）

伊賀《いが》衆《しゅう》きっての大頭領《だいとうりょう》 家康《いえやす》に仕《つか》えた「鬼半蔵《おにはんぞう》」

伊賀忍者《いがにんじゃ》をひきいた服部《はっとり》家《け》の、二代目頭領《とうりょう》。半蔵《はんぞう》の名は通称《つうしょう》で、本名は正成《まさなり》という。主君である徳川家康《とくがわいえやす》の命をすくった「伊賀《いが》越《ご》え」の逸話《いつわ》で知られる。

服部半蔵《はっとりはんぞう》は、徳川《とくがわ》氏《し》の勢力《せいりょく》がまだ弱小だったころに、配下の伊賀衆《いがしゅう》をしたがえて家康《いえやす》の家臣となった。そして、城攻《しろぜ》めや奇《き》襲《しゅう》作戦を成功させて頭角をあらわし、数々《かずかず》の合戦でも勇猛果《ゆうもうか》敢《かん》に奮戦《ふんせん》。その猛将《もうしょう》ぶりから、「鬼半蔵《おにはんぞう》」という異名《いみょう》がつけられた。

家康《いえやす》が、半蔵《はんぞう》とともに大坂《おおさか》見物をしていたとき、本能寺《ほんのうじ》の変《へん》で織田信長《おだのぶなが》が死亡《しぼう》した。すると、信長《のぶなが》を討《う》った明智光秀《あけちみつひで》の軍勢《ぐんぜい》や、混乱《こんらん》につけこむ落《お》ち武者《むしゃ》狩《が》りが大坂《おおさか》にあふれて、信長《のぶなが》と同盟《どうめい》をむすぶ家康《いえやす》も命をねらわれる。

そこで半蔵《はんぞう》は、伊賀《いが》の山道をぬけて自国に帰還《きかん》するという「伊《い》賀《が》越《ご》え」の策《さく》を強行。忍者衆《にんじゃしゅう》の道案内のもと、幾多《いくた》の難所《なんしょ》をのりこえて、死地からの脱出《だっしゅつ》を成功させた。のちに家康《いえやす》は、この伊賀越《いがご》えは死を覚悟《かくご》するほど困《こん》難《なん》だったとはなしている。

その後、家康《いえやす》は天下をとり、江戸幕府《えどばくふ》をひらいた。半蔵《はんぞう》は、幕府《ばくふ》の成立に多大な貢献《こうけん》をしたとして、徳川十六神将《とくがわじゅうろくしんしょう》のひとりにかぞえられている。

しのびとらのまき

歴代の頭領《とうりょう》がうけついだ「半蔵《はんぞう》」の名

「半蔵《はんぞう》」の名は、通称《つうしょう》（仮名《けみょう》）である。服部家《はっとりけ》において、歴代の頭領《とうりょう》だけが、半《はん》蔵《ぞう》の通称《つうしょう》を名のることができた。初代の服部半蔵保長《はっとりはんぞうやすなが》は、室町幕府《むろまちばくふ》の将軍足利義《しょうぐんあしかがよし》晴《はる》に仕《つか》えたのち、徳川家康《とくがわいえやす》の父、松平清《まつだいらきよ》康《やす》の家臣となった。二代目正成《まさなり》は家康《いえやす》の家臣となって忠義《ちゅうぎ》をつくすも、三代目正《まさ》就《なり》は伊賀者《いがもの》を私物化《しぶつか》して反感を買った。

皇居《こうきょ》に現存《げんそん》する半蔵門《はんぞうもん》は、江戸城《えどじょう》の要《かなめ》だったこの門を警護《けいご》した二代目正成《まさなり》と三代目正就《まさなり》の半蔵《はんぞう》の名に由来《ゆらい》するという。

伊《い》賀《が》

百《もも》地《ち》丹《たん》波《ば》

主《しゅ》君《くん》 不明

生没年《せいぼつねん》 一五一二年～一五八一年ごろ
(安土《あづち》・桃山《ももやま》時代に活躍《かつやく》)

天正《てんしょう》伊賀《いが》の乱《らん》で織田信長《おだのぶなが》にあらがった頭領《とうりょう》

伊賀忍者《いがにんじゃ》をひきいた百地家《ももちけ》の頭領《とうりょう》。百地三太夫《ももちさんだゆう》の名でも知られる。織田信長《おだのぶなが》から敵視《てきし》され、「天正伊賀《てんしょういが》の乱《らん》」で、織田軍《おだぐん》とたたかった。

初代服部半蔵《はっとりはんぞう》が松平《まつだいら》（のちの徳川《とくがわ》）氏《し》に仕《つか》えて伊賀《いが》をさったあと、百地家《ももちけ》の頭領《とうりょう》である丹波《たんば》は、藤林家《ふじばやしけ》の勢力《せいりょく》とならびたって、伊賀忍者《いがにんじゃ》を統率《とうそつ》した。どのような仕事をしたのかは謎《なぞ》だが、百地家《ももちけ》の勢力《せいりょく》は、南伊賀《みなみいが》一帯に数百人の規模《きぼ》をもっていたとされる。また、のちに天下をさわがせた大盗賊《だいとうぞく》の石川五右衛門《いしかわごえもん》は、もとは丹波《たんば》の弟子だったともされている。

一五七九年、信長《のぶなが》の息子の信《のぶ》雄《かつ》が、伊賀《いが》を支配下《しはいか》におくため攻《せ》めこんできた。この第一次天《てん》正伊《しょうい》賀《が》の乱《らん》で、丹波《たんば》は忍者《にんじゃ》たちを指揮《しき》して抗戦《こうせん》し、織田軍《おだぐん》の撃《げき》退《たい》に成功する。しかし、これが信長《のぶなが》を激怒《げきど》させ、二年後に織田《おだ》軍《ぐん》が数万の大軍勢《だいぐんぜい》で再侵攻《さいしんこう》を開始。丹波《たんば》は、この第二次天《てん》正伊《しょうい》賀《が》の乱《らん》でも死力をつくしたが、織田軍《おだぐん》の猛攻《もうこう》になすすべなく、敗北をきっした。

丹波《たんば》は、この合戦で闘死《とうし》したとされるが、一説には、他国へとにげのびて、その地でふたたび忍者衆《にんじゃしゅう》を結成《けっせい》したともいわれている。

しのび とらのまき

伊賀忍者《いがにんじゃ》の一派《ぱ》、藤林家《ふじばやしけ》 謎《なぞ》多き頭領《とうりょう》「藤林長門《ふじばやしながと》」

服部家《はっとりけ》、百地家《ももちけ》とならびたつ、藤林家《ふじばやしけ》。その頭領《とうりょう》の藤林長門《ふじばやしながと》は、生没年《せいぼつねん》や活動内《ない》容《よう》などの記録がのこされておらず、謎《なぞ》につつまれた人物である。天正伊賀《てんしょういが》の乱《らん》では、百地丹波《ももちたんば》の奮闘《ふんとう》の記録はあるが、伊《い》賀《が》の危機《きき》にもかかわらず、長門《ながと》の名前はいっさい登場しない。藤林長門《ふじばやしながと》は、百地《ももち》丹波《たんば》と同一人物だとする説もあるが、それは想像《そうぞう》の域《いき》をでない。

なお、長門《ながと》の子孫《しそん》とされる藤林保武《ふじばやしやすたけ》がまとめた忍術書《にんじゅつしょ》が『万川集海《まんせんしゅうかい》』である。

※『万川集海《まんせんしゅうかい》』について、くわしくは78ページの解説《かいせつ》をご覧《らん》ください。

伊賀《いが》

石《いし》川《かわ》五《ご》右衛《え》門《もん》

主君《しゅくん》　なし

生没年《せいぼつねん》　一五五八年ごろ～一五九四年（安土《あづち》・桃山《ももやま》時代に活躍《かつやく》）

伊賀《いが》からにげた抜《ぬ》け忍《にん》
天下をさわがせた大盗賊《だいとうぞく》

もとは伊賀忍者《いがにんじゃ》で、修行《しゅぎょう》の途中《とちゅう》で脱走《だっそう》し、京《きょう》に潜伏《せんぷく》して強盗《ごうとう》をはたらいた盗賊《とうぞく》。とらえられ、釜《かま》ゆでの刑《けい》で死亡《しぼう》したが、のちに歌舞伎《かぶき》や浄瑠璃《じょうるり》などで正義《せいぎ》の大泥棒《おおどろぼう》として創作《そうさく》され、多くの庶民《しょみん》に愛された。

石川五右衛門《いしかわごえもん》は、伊賀者《いがもの》の頭領《とうりょう》である百地丹波《ももちたんば》の弟子だったといわれる。きびしい忍者修行《にんじゃしゅぎょう》に嫌気《いやけ》がさした五右衛門《ごえもん》は、師匠《ししょう》の丹波《たんば》をうらぎって抜《ぬ》け忍《にん》となり、京《きょう》へとにげのびた。

京《きょう》に潜伏《せんぷく》した五右衛門《ごえもん》は、裕福《ゆうふく》な屋敷《やしき》をねらっておしいり、強盗《ごうとう》をくりかえした。多数の手下をくわえ、いよいよ増長《ぞうちょう》する五右衛門《ごえもん》に対し、天下人の豊臣《とよとみ》秀吉《ひでよし》が激怒《げきど》する。秀吉《ひでよし》の命令で大規模《だいきぼ》な捜索《そうさく》がおこなわれた結果、五右衛門《ごえもん》は一味もろともとらえられ、市中をひきまわされたのちに、三条河原《さんじょうがわら》で釜《かま》ゆでの刑《けい》をうけて絶命《ぜつめい》した。

その後、江戸《えど》時代になると、近松門左衛門《ちかまつもんざえもん》や井原西鶴《いはらさいかく》などの人気作家が、「権力者《けんりょくしゃ》や大金持ちをこらしめる天下の大盗賊《だいとうぞく》」として五右衛門《ごえもん》をえがいた。それらの創作《そうさく》が歌舞伎《かぶき》や浄瑠璃《じょうるり》、講談《こうだん》などでえんじられると、庶民《しょみん》を中心に人気をよび、五右衛門《ごえもん》の名は、まるで英雄《えいゆう》のように、世間に広く知れわたった。

しのびとらのまき

実話と創作《そうさく》がまぜこぜに 石川五右衛門《いしかわごえもん》は実在《じつざい》した？

石川五右衛門《いしかわごえもん》は、多数の創作《そうさく》で「正義《せいぎ》の盗賊《とうぞく》」としてえがかれたが、それらはどこまでが実話か不明で、伊賀《いが》の抜《ぬ》け忍《にん》とする話もさだかではないという。

石川五右衛門《いしかわごえもん》という盗賊《とうぞく》が京に出没《しゅつぼつ》し、とらえられて処刑《しょけい》されたことは、おそらく真実だろうとされている。来日していたキリスト教宣教師《せんきょうし》の手記には、「京《きょう》の盗賊《とうぞく》が生きたまま油で煮《に》られた」とかかれている。また、京都《きょうと》の大雲院《だいうんいん》の墓地《ぼち》には、五右衛門《ごえもん》の墓《はか》が今もある。

伊賀《いが》

下柘植《しもつげ》の木猿《きざる》

主君《しゅくん》　不明

生没年《せいぼつねん》　不明（戦国時代に活躍《かつやく》）

伊賀《いが》の傑出《けっしゅつ》した忍《しの》び名人
「猿飛佐助《さるとびさすけ》」のモデルとも

忍術書《にんじゅつしょ》『万川集海《まんせんしゅうかい》』で、「忍《しの》び上手の十一人」のひとりにあげられている伊賀忍者《いがにんじゃ》。

下柘植《しもつげ》の木猿《きざる》という名称《めいしょう》は、「下柘植《しもつげ》という地域《ちいき》の出身の、木猿《きざる》とよばれた人物」であることを意味する。その名のとおり、猿《さる》のような身のこなしでかろやかに木にのぼり、枝葉《えだは》のかげに身をかくすことを得意としていた。また、つま先だけをつかって音をたてずにあるく「浮足《うきあし》の術《じゅつ》」の達人で、この術《じゅつ》を応用《おうよう》して、木や葉をまったくゆらさずに、枝《えだ》から枝《えだ》へとびうつることができたという。

その活躍《かつやく》について、『享禄天文之記《きょうろくてんぶんのき》』に、伊賀衆《いがしゅう》の大将《たいしょう》の「木猿《きざる》」という人物が、奈良《なら》の十市城《とおいちじょう》を攻撃《こうげき》したとしるされている。また、『真田十勇士《さなだじゅうゆうし》』に登場する英雄忍者《えいゆうにんじゃ》の猿飛佐助《さるとびさすけ》は、木猿《きざる》をモデルにしているともいわれる。なお、木猿《きざる》の本名は、「上月佐助《こうづきさすけ》」だったとされる。

『万川集海《まんせんしゅうかい》』にあげられている忍《しの》び名人に、下柘植《しもつげ》の小猿《こざる》という忍者《にんじゃ》もいる。木猿《きざる》と同郷《どうきょう》の忍《にん》者《じゃ》だとかんがえられるが、ふたりの関係は不明だ。小猿《こざる》は、犬の鳴きまねの達人で、敵陣《てきじん》近くで大声でほえて「うるさい」と敵将《てきしょう》にどならせ、その声で居場《いば》所《しょ》をさぐりあてたという。

しのびとらのまき

木猿《きざる》とともに名があがる忍《しの》び上手の十一人

忍術書《にんじゅつしょ》『万川集海《まんせんしゅうかい》』にある、伊賀《いが》の十一人の忍《しの》び名人は、下柘植《しもつげ》の木猿《きざる》と下《しも》柘《つ》植《げ》の小猿《こざる》のほかに、次の人物がいる。

野村《のむら》の大炊孫太夫《おおいまごだゆう》、新堂小太郎《しんどうこたろう》、楯岡《たておか》道順《どうじゅん》、上野《うえの》の左《ひだり》、山田八右衛門《やまだはちえもん》、神部小《かんべこ》南《なん》、音羽《おとわ》の城戸《きど》、甲山太郎四郎《こうやまたろうしろう》、甲山太《こうやまた》郎左衛門《ろうざえもん》。

楯岡道順《たておかどうじゅん》は、十一人の筆頭格《ひっとうかく》で、四十九流ある伊賀忍術《いがにんじゅつ》の始祖《しそ》ともいわれる。変装術《へんそうじゅつ》を得意とし、さまざまな人物にばけて、やすやすと敵地《てきち》に潜入《せんにゅう》したという。

甲《こう》賀《か》

望《もち》月《づき》出《いず》雲《もの》守《かみ》

主《しゅ》君《くん》 六角高頼《ろっかくたかより》

生没年《せいぼつねん》 不明（戦国時代に活躍《かつやく》）

鉤《まがり》の陣《じん》で奇跡《きせき》の勝利
甲賀《こうか》の名を世にだした忍将《にんしょう》

甲賀《こうか》忍者《にんじゃ》の筆頭格《ひっとうかく》である望月《もちづき》家《け》の頭領《とうりょう》で、戦国時代初期に活《かつ》躍《やく》した武将《ぶしょう》。「鉤《まがり》の陣《じん》」の合戦で室町幕府軍《むろまちばくふぐん》に勝利し、甲賀《こうか》の実力を全国にとどろかせた。なお、出雲守《いずものかみ》とは職務《しょくむ》をあらわす官職名《かんしょくめい》で、本名は不明。

望月出雲守《もちづきいずものかみ》は、甲賀《こうか》に拠点《きょてん》をおくひとりの武将《ぶしょう》だった。守護《しゅご》大名《だいみょう》の六角氏《ろっかくし》に仕《つか》えていたが、あるとき六角氏《ろっかくし》が幕府《ばくふ》の命令にそむき、将軍《しょうぐん》の足利義尚《あしかがよしひさ》の怒《いか》りをかう。そして、将軍《しょうぐん》みずから六万の大軍をひきいて出陣《しゅつじん》し、六角氏《ろっかくし》の討伐《とうばつ》にのりだした。六《ろっ》角軍《かくぐん》にとって圧倒的《あっとうてき》に不利な状《じょう》況《きょう》のなか、出雲守《いずものかみ》は、甲賀忍者《こうかにんじゃ》をしたがえて、のちに鉤《まがり》の陣《じん》とよばれるこの合戦にいどむ。

出雲守《いずものかみ》は、主君の六角氏《ろっかくし》に策《さく》をさずけた。敗走しているようにみせかけて幕府軍《ばくふぐん》を油断《ゆだん》させつつ、甲賀《こうか》の山中ふかくまでさそいこませたのだ。そして、夜中に少数の甲賀忍者《こうかにんじゃ》をひきいて敵本陣《てきほんじん》に奇襲《きしゅう》をかけ、将軍《しょうぐん》の首をねらった。このとき出雲守《いずものかみ》は、敵陣《てきじん》の周囲に濃《こ》い霧《きり》をたちこめさせるという高度な忍術《にんじゅつ》をもちいたという。

将軍義尚《しょうぐんよしひさ》は、鉤《まがり》の陣《じん》において亡《な》くなり、その後、幕府軍《ばくふぐん》が撤《てっ》退《たい》したことで、六角軍《ろっかくぐん》は奇跡的《きせきてき》な勝利をおさめた。

しのび とらのまき

鉤《まがり》の陣《じん》が全国で手本にされ戦国時代の忍者台頭《にんじゃたいとう》をよぶ

勝利した六角氏《ろっかくし》は、鉤《まがり》の陣《じん》に参戦した甲賀《こうか》五十三家《け》にふかく感謝《かんしゃ》し、とくに、望月家《もちづきけ》をふくむ二十一家《け》には破格《はかく》の待遇《たいぐう》をあたえた。望月出雲守《もちづきいずものかみ》をはじめとする甲賀衆《こうかしゅう》も、この合戦をきっかけに、忍者《にんじゃ》としての活動を色こくしていく。また、全国の武将《ぶしょう》たちは、この合戦にまなんで、忍者《にんじゃ》を積極的にもちいるようになった。

甲賀衆《こうかしゅう》は、のちに徳川家康《とくがわいえやす》に仕《つか》え、江《え》戸幕府《どばくふ》が成立して太平の世になるまで、各方面で暗躍《あんやく》をつづけた。

甲賀《こうか》

滝川一益《たきがわかずます》

主君《しゅくん》
織田信長《おだのぶなが》

生没年《せいぼつねん》
一五二五年～一五八六年
（安土《あづち》・桃山《ももやま》時代に活躍《かつやく》）

信長《のぶなが》のもとで出世をとげた
甲賀《こうか》出身の戦国武将《ぶしょう》

織田《おだ》家に仕《つか》えて、織田信長《おだのぶなが》の重臣にまで出世した戦国武将《ぶしょう》。甲賀《こうか》出身で、鉄砲術《てっぽうじゅつ》に精通《せいつう》する。

滝川一益《たきがわかずます》は、甲賀流《こうかりゅう》のながれをくむ武家《ぶけ》の子にうまれた。少年時代に鉄砲術《てっぽうじゅつ》を会得《えとく》し、かなりの腕前《うでまえ》だったとされる。

戦国の世、実力で権力《けんりょく》を手にする下克上《げこくじょう》の機運《きうん》が高まるなか、一益《かずます》も、出世をこころざして織《お》田家《だけ》に仕官した。その際《さい》、得意の鉄砲術《てっぽうじゅつ》を披露《ひろう》して、信長《のぶなが》から大いに気にいられたという。

信長《のぶなが》が伊賀《いが》を攻撃《こうげき》した天正伊《てんしょうい》賀《が》の乱《らん》で、一益《かずます》は、敵城《てきじょう》を攻《せ》めおとすなどの手柄《てがら》をあげた。その他の合戦でも武功《ぶこう》をかさね、ついには織田《おだ》家の重臣に抜擢《ばってき》される。一益《かずます》は、兵の指揮《しき》能力《のうりょく》がみごとだったことから、「退《ひ》くも滝川《たきがわ》、すすむも滝川《たきがわ》」と周囲から賞賛《しょうさん》されている。

織田軍《おだぐん》が、戦国最強の武田騎《たけだき》馬隊《ばたい》を討《う》ちやぶった長篠合戦《ながしののかっせん》で、一益《かずます》は、鉄砲隊《てっぽうたい》の総指揮《そうしき》をつとめた。一益《かずます》の指揮《しき》のもと、大量の鉄砲《てっぽう》で一斉射撃《いっせいしゃげき》をおこなって敵《てき》の騎馬隊《きばたい》を翻弄《ほんろう》させたことが、劇的《げきてき》な勝利の要因《よういん》だとされる。

しかし、本能寺《ほんのうじ》の変《へん》で信長《のぶなが》が死亡《しぼう》すると、一益《かずます》は、羽柴《はしば》（のちの豊臣《とよとみ》）秀吉《ひでよし》と対立し、合戦のすえに敗北。立場をうしなった一益《かずます》は、出家して隠退《いんたい》した。

しのび とらのまき

それまでの常識《じょうしき》をくつがえす長篠合戦《ながしののかっせん》での鉄砲術《てっぽうじゅつ》

戦国時代につかわれた火縄銃《ひなわじゅう》は、的《まと》にあてにくく、連続射撃《しゃげき》もできなかった。滝川一益《たきがわかずます》は小さな的《まと》でもうちぬくことができたというが、兵士たちの鉄砲術《てっぽうじゅつ》は、実戦では役にたつものではなかった。

長篠合戦《ながしののかっせん》で、一益《かずます》は、およそ千丁《ちょう》もの大量の鉄砲《てっぽう》を用意した。武田軍《たけだぐん》の多くは銃弾《じゅうだん》にたおれたのではなく、一斉射撃《いっせいしゃげき》の爆音《ばくおん》で馬がおどろき、混乱《こんらん》するなか織田《おだ》軍《ぐん》に撃破《げきは》されたという。以後、全国的に、この戦法が流行する。

甲《こう》賀《か》

山《やま》岡《おか》景《かげ》友《とも》

主《しゅ》君《くん》 足利義昭《あしかがよしあき》、徳川家康《とくがわいえやす》ほか

生没年《せいぼつねん》 一五四〇年～一六〇四年
（安土《あづち》・桃山《ももやま》時代に活躍《かつやく》）

関ヶ原《せきがはら》の戦《たたか》いで大奮戦《だいふんせん》
甲賀百人組《こうかひゃくにんぐみ》をひきいた武将《ぶしょう》

甲賀《こうか》出身の武将《ぶしょう》。さまざまな主君に仕《つか》えたのち、徳川家康《とくがわいえやす》の家臣となって関ヶ原《せきがはら》の戦《たたか》いで活躍《かつやく》し、甲賀忍者《こうかにんじゃ》で組織《そしき》された「甲賀百人組《こうかひゃくにんぐみ》」の頭領《とうりょう》になった。出家した際《さい》の名前を、道阿弥《どうあみ》という。

山岡景友《やまおかかげとも》は、甲賀忍者《こうかにんじゃ》のながれをくむ武士《ぶし》の家系《かけい》にうまれた。景友《かげとも》がはじめに仕《つか》えた主君は、室町幕府《むろまちばくふ》十五代将軍《しょうぐん》の足利義昭《あしかがよしあき》で、その後、たびたび主君をかえたのちに、家康《いえやす》の家臣となる。そして、各地の合戦に甲賀忍者《こうかにんじゃ》をおくりこんで徳川軍《とくがわぐん》を大いにたすけ、手柄《てがら》をかさねた。

全国の武将《ぶしょう》が、徳川方《とくがわがた》の東軍《とうぐん》と、それに反目する西軍《せいぐん》にわかれてたたかった関ヶ原《せきがはら》の戦《たたか》いは、はじめ西軍《せいぐん》についていた小早川《こばやかわ》秀秋《ひであき》が寝返《ねがえ》ったことで、東軍《とうぐん》が劇的《げきてき》な勝利をおさめた。この秀《ひで》秋《あき》の寝返《ねがえ》りは、景友《かげとも》がおくりこんだ密使《みっし》の謀略《ぼうりゃく》によってなしとげられたともいわれる。また、景友《かげとも》自身も戦場にでて猛烈《もうれつ》にたたかい、百人もの敵兵《てきへい》をたおしている。

家康《いえやす》は、数々《かずかず》の武功《ぶこう》をあげた景友《かげとも》に、近江《おうみ》の九千石《ごく》の領地《りょうち》をあたえた。また、合戦で多数の死傷者《ししょうしゃ》がでた甲賀忍者《こうかにんじゃ》たちを景友《かげとも》の配下におき、「甲賀百人組《こうかひゃくにんぐみ》」を結成させた。

しのび とらのまき

つねに天下人を主君にした景友《かげとも》のするどい洞察力《どうさつりょく》

山岡景友《やまおかかげとも》は、最初に主君とした将軍《しょうぐん》の足利義昭《あしかがよしあき》から、とてもかわいがられた。しかし、義昭《よしあき》が織田信長《おだのぶなが》と合戦して敗北すると、景友《かげとも》は出家して僧侶《そうりょ》になる。そこへ織田家《おだけ》から仕官の要請《ようせい》があり、ふたたび武将《ぶしょう》としてかえりざいた。

本能寺《ほんのうじ》の変《へん》で信長《のぶなが》が死亡《しぼう》したあとは、豊臣秀吉《とよとみひでよし》に仕《つか》えて相談役をつとめた。そして、秀吉《ひでよし》が病没《びょうぼつ》したのちに、徳川家康《とくがわいえやす》の家臣となる。景友《かげとも》は、天下の中心人物を、つねに主君としたのだった。

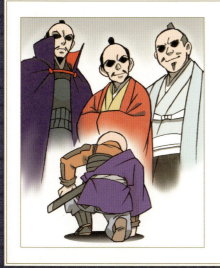

甲賀《こうか》

杉《すぎ》谷《たに》善《ぜん》住《じゅ》坊《ぼう》

主君《しゅくん》　六角義賢《ろっかくよしかた》

生没年《せいぼつねん》　生年未詳《みしょう》～一五七三年（戦国時代に活躍《かつやく》）

織田信長《おだのぶなが》を狙撃《そげき》した腕《うで》ききの鉄砲《てっぽう》つかい

甲賀《こうか》で一番の腕前《うでまえ》といわれた鉄砲《てっぽう》名人。近江《おうみ》南部の大名の六《ろっ》角氏《かくし》に仕《つか》えた忍者《にんじゃ》で、織田信長《おだのぶなが》を狙撃《そげき》したことで知られる。

杉谷善住坊《すぎたにぜんじゅぼう》は、甲賀《こうか》五十三家《け》のひとつの杉谷《すぎたに》家の血をひく忍《にん》者《じゃ》で、比叡山延暦寺《ひえいざんえんりゃくじ》の僧侶《そうりょ》でもあった。火薬の研究がさかんな甲賀《こうか》では、多くの忍者《にんじゃ》たちが鉄《てっ》砲術《ぽうじゅつ》を会得《えとく》したが、善住坊《ぜんじゅぼう》の射《しゃ》撃《げき》の腕前《うでまえ》は、甲賀衆《こうかしゅう》のなかでも傑出《けっしゅつ》していたという。

織田信長《おだのぶなが》が、諸国《しょこく》を制圧《せいあつ》して急速に勢力《せいりょく》を拡大《かくだい》させるなか、金ケ崎《かねがさき》の戦《たたか》いでは朝倉氏《あさくらし》を攻《せ》めそこねて、やむなく撤退《てったい》をはじめた。これを好機とにらんだ六《ろっ》角氏《かくし》は、善住坊《ぜんじゅぼう》をよんで、信長《のぶなが》の暗殺を命じる。善住坊《ぜんじゅぼう》は、自国へと撤退《てったい》する信長《のぶなが》を、近江《おうみ》の千草越《ちぐさごえ》という峠道《とうげみち》でまちぶせた。

信長《のぶなが》の一行が千草越《ちぐさごえ》にやってきたとき、大岩に身をかくした善住坊《ぜんじゅぼう》は、二十数メートルほどの距離《きょり》から、火縄銃《ひなわじゅう》で信長《のぶなが》を狙《そ》撃《げき》した。善住坊《ぜんじゅぼう》の腕前《うでまえ》ならば確《かく》実《じつ》にしとめられたはずだが、弾《だん》丸《がん》は信長《のぶなが》の腕《うで》をかすめただけで、命をうばうことはできなかった。

暗殺に失敗した善住坊《ぜんじゅぼう》は、すぐさまその場をたちさって逃亡《とうぼう》した。しかし、三年後に織田《おだ》家臣にとらえられ、残酷《ざんこく》な方法で処刑《しょけい》された。

しのびとらのまき

信長《のぶなが》のおそるべき処断《しょだん》 鋸挽《のこひ》きの刑《けい》で絶命《ぜつめい》

杉谷善住坊《すぎたにぜんじゅぼう》は、織田信長《おだのぶなが》の暗殺に失敗した直後から、逃亡《とうぼう》してすがたをくらました。しかし、信長《のぶなが》による執拗《しつよう》な捜索《そうさく》からにげきれず、三年後にとらわれた。

善住坊《ぜんじゅぼう》は、むごい拷問《ごうもん》のすえに、暗殺の依頼主《いらいぬし》が六角氏《ろっかくし》だとあかす。しかし、信長《のぶなが》はそれでもゆるさず、鋸挽《のこひ》きの刑《けい》をくだした。これは、首から上だけを地上にだして生きうめにし、竹でつくられた鋸《のこ》で首をひいて、数日かけて処刑《しょけい》するという、きわめて残酷《ざんこく》なものだった。

甲州透破《こうしゅうすっぱ》

出浦盛清《いでうらもりきよ》

主君《しゅくん》
武田信玄《たけだしんげん》、真田昌幸《さなだまさゆき》ほか

生没年《せいぼつねん》
一五四六年～一六二三年
（安土《あづち》・桃山《ももやま》時代に活躍《かつやく》）

「甲州透破《こうしゅうすっぱ》」をひきいて武田《たけだ》・真田《さなだ》に仕《つか》えた忍将《にんしょう》

甲州《こうしゅう》の忍者集団《にんじゃしゅうだん》「甲州透破《こうしゅうすっぱ》」の頭領《とうりょう》で、武田信玄《たけだしんげん》や真田昌幸《さなだまさゆき》などに仕《つか》えた武将《ぶしょう》。名前は昌相《まさすけ》ともいう。創作《そうさく》物語『真田十勇士《さなだじゅうゆうし》』に登場する忍者《にんじゃ》、霧隠才蔵《きりがくれさいぞう》のモデルともいわれる。

出浦盛清《いでうらもりきよ》がひきいた甲州透破《こうしゅうすっぱ》は、情報収集能力《じょうほうしゅうしゅうのうりょく》にすぐれた忍者衆《にんじゃしゅう》だった。僧侶《そうりょ》や商人などに変装《へんそう》して諸国《しょこく》に潜入《せんにゅう》し、敵《てき》の兵力や家臣の動向、城《しろ》の設計図《せっけいず》などのあらゆる情報《じょうほう》をさぐりだした。それらの情報《じょうほう》は、狼煙《のろし》などの伝達手段《しゅだん》で、すぐさま頭領《とうりょう》の盛清《もりきよ》につたえられた。

武田信玄《たけだしんげん》は、「三ツ者《みつもの》」とよばれる忍者集団《にんじゃしゅうだん》をもっていた。盛清《もりきよ》が信玄《しんげん》に仕《つか》えた際《さい》、甲州透破《こうしゅうすっぱ》は三ツ者《みつもの》の一角としてはたらき、信玄《しんげん》の躍進《やくしん》に貢献《こうけん》した。

盛清《もりきよ》自身も、忍者《にんじゃ》としての実力が高かったという。敵《てき》の城《しろ》へ配下の忍者《にんじゃ》を潜入《せんにゅう》させたとき、それより先に自分が潜入《せんにゅう》して探索《たんさく》をすませ、もどってきた忍者《にんじゃ》の報告《ほうこく》の嘘《うそ》や手ぬきをみやぶったという逸話《いつわ》がある。

武田氏《たけだし》の滅亡《めつぼう》後、盛清《もりきよ》は、織田《おだ》家臣の森長可《もりながよし》に仕《つか》えたのち、真田氏《さなだし》にしたがった。戦国乱世《らんせい》のなかで、たびたび主君をかえた盛清《もりきよ》だが、仕《つか》えた主君には忠義《ちゅうぎ》をつくし、甲州透破《こうしゅうすっぱ》とともに全力ではたらいたという。

しのびとらのまき

何度も主君をかえながら戦国乱世《らんせい》を生きぬく

出浦盛清《いでうらもりきよ》は、はじめは村上義清《むらかみよしきよ》という武将《ぶしょう》の家臣だったが、武田氏《たけだし》の侵攻《しんこう》をうけて村上氏《むらかみし》が敗北し、武田氏《たけだし》に仕《つか》えることになった。その後、織田信長《おだのぶなが》の侵攻《しんこう》で武田氏《たけだし》がほろぶと、信長《のぶなが》家臣の森長可《もりながよし》を主君とする。しかし、本能寺《ほんのうじ》の変《へん》で信長《のぶなが》が死亡《しぼう》し、ほどなくして長可《ながよし》も戦死。そこで盛清《もりきよ》は、真田昌幸《さなだまさゆき》のもとにつく。

真田家《さなだけ》に仕《つか》えて重臣をつとめた盛清《もりきよ》は、配下の忍者《にんじゃ》たちを再編《さいへん》して「吾妻忍び衆《あがつましのびしゅう》」を組織《そしき》した。

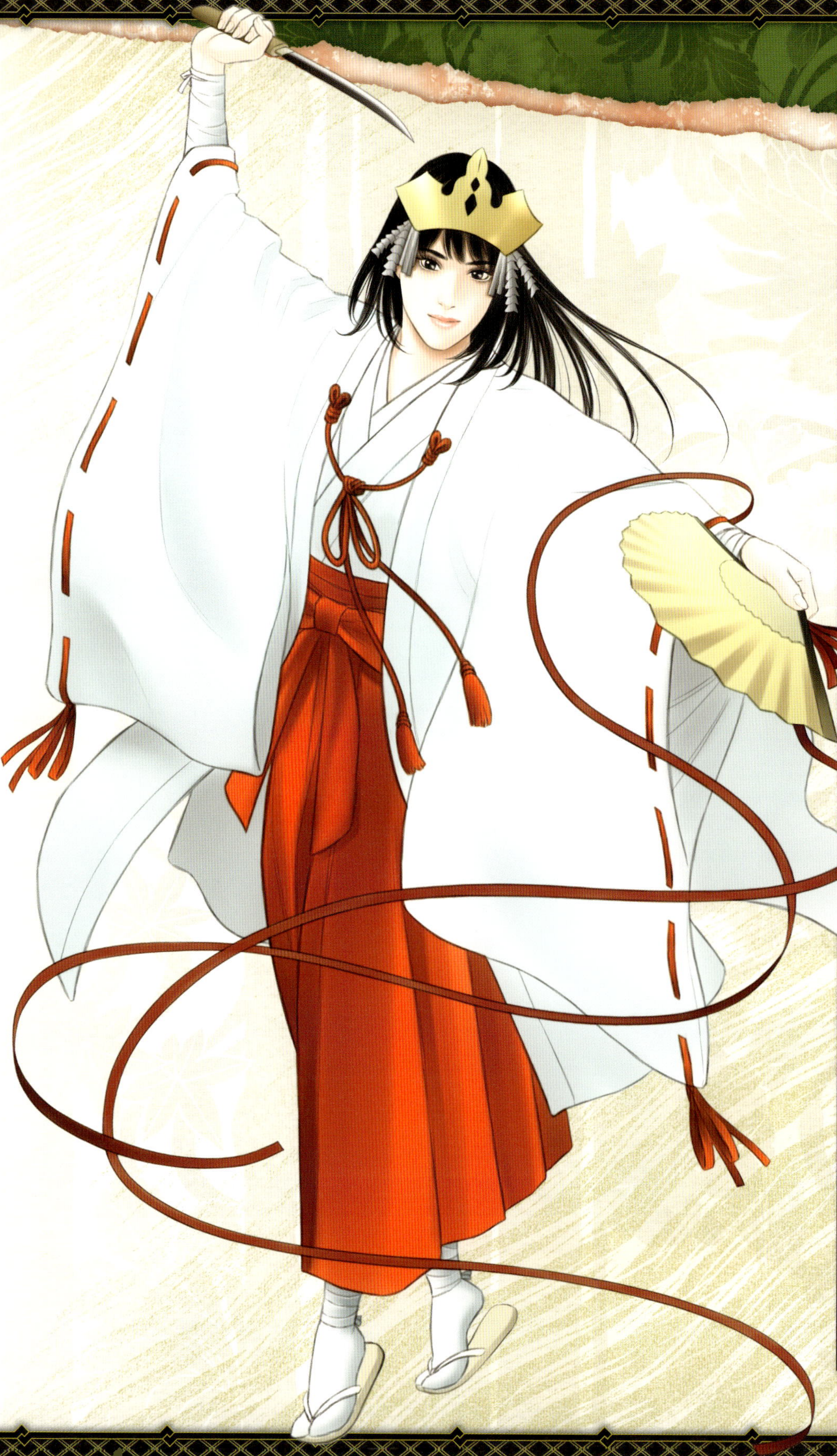

武田《たけだ》

望《もち》月《づき》千《ち》代《よ》女《め》（歩《ある》き巫女《みこ》）

主君《しゅくん》 武田信玄《たけだしんげん》

生没年《せいぼつねん》 生没年未詳《せいぼつねんみしょう》

「歩《ある》き巫女《みこ》」で知られる空想上のくノ一《くのいち》衆《しゅう》頭領《とうりょう》

武田信玄《たけだしんげん》が組織《そしき》した女忍者衆《おんなにんじゃしゅう》「歩《ある》き巫女《みこ》」の頭領《とうりょう》として知られる女性《じょせい》。しかし、それは後世に広まった虚説《きょせつ》で、本当は実在《じつざい》しない架空《かくう》の人物。なお、女忍《おんなにん》者《じゃ》は、「女」の文字を分解《ぶんかい》して、「くノ一《くのいち》」ともよばれる。

望月千代女《もちづきちよめ》は、武田信玄《たけだしんげん》に仕《つか》え、諸国《しょこく》を旅する祈禱師《きとうし》の「歩《ある》き巫女《みこ》」に扮《ふん》したくノ一《くのいち》を数多く養成した女性《じょせい》として有名だが、これらはあくまでも想像上《そうぞうじょう》のことである。武田信玄《たけだしんげん》が歩《ある》き巫女《みこ》から情報《じょうほう》をえていたとする伝承《でんしょう》こそあるものの、望月千代女《もちづきちよめ》という人物の記録はない。

歩《ある》き巫女《みこ》とよばれた女性《じょせい》は実《じつ》在《ざい》する。彼女《かのじょ》たちは「ノノウ」という巫女《みこ》で、各地をめぐりあるき、病気をなおす目的で「口《くち》寄《よ》せ」という霊媒祈禱《れいばいきとう》をおこなった。諸国《しょこく》を旅するなかで、幼女《ようじょ》を弟子にとり、巫女《みこ》として育成したともいわれる。

ノノウたちが、村から村へと歩きまわるときに、諸国《しょこく》の情報《じょうほう》をつたえていた可能性《かのうせい》はある。しかし、歩《ある》き巫女《みこ》に扮《ふん》したくノ《くの》一《いち》が、大名の命令で諜報活動《ちょうほうかつどう》をしたという事実は確認《かくにん》できない。

歩《ある》き巫女《みこ》とよばれたノノウの集団《しゅうだん》は各地にいたが、その活動をもとにして、後世に望月千代《もちづきちよ》女《め》の話がつくられていった。

しのびとらのまき

武田氏《たけだし》の歩《ある》き巫女《みこ》を真田氏《さなだし》がひきつぐ

歩《ある》き巫女《みこ》とよばれたノノウたちは、特定の神社に所属《しょぞく》せず、諸国《しょこく》をめぐりながら祈禱《きとう》などをして生計《せいけい》をたてていた。彼《かの》女《じょ》たちは全国を自由に往来《おうらい》できたため、さまざまな情報《じょうほう》を収集《しゅうしゅう》して、武田信玄《たけだしんげん》につたえていたとされている。

武田氏《たけだし》が滅亡《めつぼう》した後、ノノウたちは、真田氏《さなだし》にひきつがれたといわれる。長野《ながの》県東御市祢津《とうみしねつ》には、複数《ふくすう》の「ノノウ巫女《みこ》の墓《はか》」が現存《げんそん》し、彼女《かのじょ》たちの実在《じつざい》をうらづけている。

三ッ者《みつもの》

熊若《くまわか》

主君《しゅくん》
飯富虎昌《おぶとらまさ》

生没年《せいぼつねん》
生没年未詳《せいぼつねんみしょう》
（戦国時代に活躍《かつやく》）

武田忍者《たけだにんじゃ》「三ツ者《みつもの》」のひとり 並《なみ》はずれた駿足《しゅんそく》の持ち主

武田信玄《たけだしんげん》が組織《そしき》した忍者集団《にんじゃしゅうだん》「三ツ者《みつもの》」の一員。きわめて足がはやく、長距離《ちょうきょり》でも短時間でかけることができた。

甲斐《かい》の戦国武将、武田信玄《たけだしんげん》は、武田二十四将《たけだにじゅうししょう》とよばれる屈強《くっきょう》な武将《ぶしょう》たちをしたがえていた。その武将《ぶしょう》のひとり、飯富虎昌《おぶとらまさ》は、戦国最強とよばれた武田騎馬隊《たけだきばたい》の中核《ちゅうかく》をつとめた猛将《もうしょう》である。熊若《くまわか》は、その虎昌《とらまさ》に仕《つか》える三ツ者《みつもの》だった。

武田軍《たけだぐん》が、宿敵《しゅくてき》の上杉謙信《うえすぎけんしん》の領地《りょうち》にある信濃《しなの》の割ケ岳城《わりがたけじょう》に総攻撃《そうこうげき》をかけることをきめた。しかし、虎昌《とらまさ》は、自軍の旗を甲府《こうふ》の城《しろ》にわすれてきていた。それに気がついたのは夕方で、総攻撃《そうこうげき》は翌朝《よくあさ》にせまっていた。

こまりはてた虎昌《とらまさ》の前に、熊若《くまわか》がひらりとあらわれ、「甲府《こうふ》まで旗をとりにいってきます」ともうしでて、すぐさま風のようにはしりさった。そのわずか四時間後、熊若《くまわか》は、旗をたずさえて虎昌《とらまさ》のもとへもどってきた。

熊若《くまわか》は、往復《おうふく》で百里《り》（約百六十キロメートル）の道のりを走破《そうは》したうえに、城門《じょうもん》をとおる手形がなかったため、壁《かべ》をとびこえて城内《じょうない》にはいり、隊旗をもちだしてきたのだった。その報告《ほうこく》をきいた虎昌《とらまさ》は、ただただ、おどろくばかりだったという。

しのびとらのまき

忍者《にんじゃ》のはしる能力《のうりょく》とはいかなるものだったか?

熊若《くまわか》について、江戸《えど》時代の怪談集《かいだんしゅう》『伽婢子《おとぎぼうこ》』の「窃の術《しのびのじゅつ》」に、百六十キロメートル近い距離《きょり》を四時間ほどで走破《そうは》したとある。つまり、一時間に四十キロメートルをはしったことになるが、さすがにこれは誇張《こちょう》だろう。

江戸《えど》時代には、飛脚《ひきゃく》なども長距離《ちょうきょり》をはしった。その走法は「ナンバ走《ばし》り」とよばれ、あまり腕《うで》をふらないで、体をねじらずはしることで、エネルギーの消費をおさえられる。

不明

加《か》藤《とう》段《だん》蔵《ぞう》

主《しゅ》君《くん》　不明

生没年《せいぼつねん》　生没年未詳《せいぼつねんみしょう》（戦国時代に活躍《かつやく》）

天才ゆえに自滅《じめつ》をまねいた すご腕《うで》の幻術《げんじゅつ》つかい

まぼろしをみせて人の目をまどわせる、幻術《げんじゅつ》のつかい手。きわめてすぐれた跳躍術《ちょうやくじゅつ》も会得《えとく》する天才的な忍者《にんじゃ》だったが、その腕前《うでまえ》がわざわいして、悲運の最期をとげた。

加藤段蔵《かとうだんぞう》が忍術《にんじゅつ》をまなんだ流《りゅう》派《は》は、伊賀《いが》、甲賀《こうか》、風魔党《ふうまとう》などさまざまな説があり、謎《なぞ》が多い。とても身がるで、高い城壁《じょうへき》や広い堀《ほり》もたやすくとびこえることができたことから、「とび加《か》藤《とう》」という異名《いみょう》をもつ。

段蔵《だんぞう》は、上杉謙信《うえすぎけんしん》への仕官をねらい、自分の腕前《うでまえ》を広めようと、大勢《おおぜい》の民衆《みんしゅう》の前で得意の幻《げん》術《じゅつ》を披露《ひろう》した。そのうわさをききつけた謙信《けんしん》は、忍《しの》びの腕《うで》をたしかめるために段蔵《だんぞう》をよび、とある重臣の屋敷《やしき》から刀をぬすみだすという課題をあたえた。すると段蔵《だんぞう》は、厳重《げんじゅう》に警備《けいび》された屋敷《やしき》にやすやすとしのびこみ、刀をぬすむだけでなく、侍女《じじょ》までもさらってみせた。段蔵《だんぞう》のすご腕《うで》をみせつけられた謙信《けんしん》は、「この男がうらぎって敵《てき》にまわれば一大事だ」とかんがえ、家臣に段蔵《だんぞう》の抹殺《まっさつ》を命じた。

段蔵《だんぞう》は、謙信《けんしん》のもとからにげだし、武田信玄《たけだしんげん》への仕官をこころみた。だが、信玄《しんげん》もその忍術《にんじゅつ》をあやぶみ、信用できないと判《はん》断《だん》して、即座《そくざ》に段蔵《だんぞう》を殺した。

しのびとらのまき

大きな牛を丸のみに 段蔵《だんぞう》が披露《ひろう》した驚愕《きょうがく》の幻術《げんじゅつ》

加藤段蔵《かとうだんぞう》が民衆《みんしゅう》にみせた幻術《げんじゅつ》は、おどろくべきものだった。一頭の大牛を出現《しゅつげん》させて、これを丸のみにする。ついで、夕顔の種を地面にまくと、たちまちのびて実をつける。その実を小刀で切りおとすと、段蔵《だんぞう》の幻術《げんじゅつ》にけちをつけていた見物客の首が、ごろりところがりおちた。

段蔵《だんぞう》が上杉謙信《うえすぎけんしん》の殺意に気づいたとき、とっくりから二十体のおどる人形を出現《しゅつげん》させるという幻術《げんじゅつ》をつかった。それに注目したすきをつき、逃走《とうそう》したという。

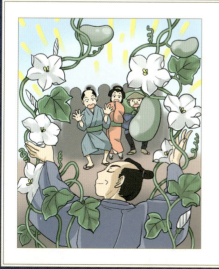

夜盗組《やとうぐみ》

中《なか》西《にし》某《なにがし》

主君《しゅくん》
直江景綱《なおえかげつな》

生没年《せいぼつねん》
生没年未詳《せいぼつねんみしょう》
（戦国時代に活躍《かつやく》）

上杉家《うえすぎけ》重臣に仕《つか》えた忍者《にんじゃ》
なんにでも化ける変装《へんそう》名人

上杉謙信《うえすぎけんしん》の重臣の直江景綱《なおえかげつな》に仕《つか》えた、変装術《へんそうじゅつ》を得意とする忍者《にんじゃ》。「某《なにがし》」とは名前がはっきりしない者をさすよびかたで、忍者《にんじゃ》には、このように名前がさだかではない人物も多い。

中西某《なかにしなにがし》は、とびぬけて変装《へんそう》がうまい忍者《にんじゃ》だった。さまざまな職業《しょくぎょう》の人物になりすまして敵《てき》の目をあざむき、だれにも気づかれずに任務《にんむ》をおこなうことができたという。

あるとき、謙信《けんしん》の家臣だった四人の武将《ぶしょう》が、宿敵《しゅくてき》の武田信玄《たけだしんげん》に寝返《ねがえ》った。そこで景綱《かげつな》は、中《なか》西《にし》をよびだして、裏切《うらぎ》り者《もの》を成《せい》敗《ばい》するように命じた。

中西《なかにし》は、年老いた農民に変装《へんそう》して敵陣《てきじん》にはいりこみ、わざとつかまって、かくしもっていた密書《みっしょ》を敵《てき》にみつけさせた。それは、裏切《うらぎ》った四人の武将《ぶしょう》の字で「今度また上杉様《うえすぎさま》にお仕《つか》えいたします」としるされた、にせの書状《しょじょう》だった。その内容《ないよう》をみて、武田軍《たけだぐん》の武将《ぶしょう》たちが大さわぎになるなか、中西《なかにし》は夜中にこっそりにげだして、その任務《にんむ》をおえた。

寝返《ねがえ》った武将《ぶしょう》たちは、心から武田家《たけだけ》への忠誠《ちゅうせい》をちかっていた。しかし、中西《なかにし》のもたらしたにせの密書《みっしょ》をしんじた信玄《しんげん》は、激怒《げきど》して四人の弁解《べんかい》をきかず、ことごとく斬殺《ざんさつ》した。

しのび とらのまき

川中島《かわなかじま》の戦《たたか》いの影《かげ》に 上杉《うえすぎ》と武田《たけだ》の忍者《にんじゃ》が暗躍《あんやく》

上杉謙信《うえすぎけんしん》は、敵《てき》の状況《じょうきょう》を知るために、忍《しの》びの者をどこにでもつれていったという。その者たちは、「夜盗組《やとうぐみ》」とよばれていたとされる。

また、上杉謙信《うえすぎけんしん》と武田信玄《たけだしんげん》がたたかった川中島《かわなかじま》の戦《たたか》いでは、双方《そうほう》の忍者《にんじゃ》が、水面下で情報戦《じょうほうせん》をくりひろげた。大激戦《だいげきせん》となった第四次川中島《かわなかじま》の戦《たたか》いにおいて、謙《けん》信《しん》は、「伏齅《ふしかぎ》」という忍《しの》びを各所につかわして武田方《たけだがた》の状況《じょうきょう》をさぐったと、軍学書『北越軍記《ほくえつぐんき》』にしるされている。

真田《さなだ》

横《よこ》谷《や》左《さ》近《こん》

主君《しゅくん》 真田幸隆《さなだゆきたか》、真田昌幸《さなだまさゆき》、真田信之《さなだのぶゆき》

生没年《せいぼつねん》 生没年未詳《せいぼつねんみしょう》（安土《あづち》・桃山《ももやま》時代に活躍《かつやく》）

乱世《らんせい》に翻弄《ほんろう》された真田家《さなだけ》と運命をともにした忍将《にんしょう》

真田家《さなだけ》の三代の当主に仕《つか》えた武将《ぶしょう》。忍者集団《にんじゃしゅうだん》「真田衆《さなだしゅう》」の頭領《とうりょう》でもある。左近《さこん》とは通称《つうしょう》で、本名は幸重《ゆきしげ》。弟の重氏《しげうじ》も、真田衆《さなだしゅう》の忍者《にんじゃ》だった。

信濃《しなの》東部の小領主《しょうりょうしゅ》の真田氏《さなだし》は、智略《ちりゃく》と奇策《きさく》をめぐらせて、戦国乱世《らんせい》をしぶとく生きのこったことで知られる。その大きな力となったのが、情報収集《じょうほうしゅうしゅう》を得意とする真田衆《さなだしゅう》の存在《そんざい》だ。頭領《とうりょう》をつとめた横谷左近《よこやさこん》は、甲州透破《こうしゅうすっぱ》をひきいる出浦盛清《いでうらもりきよ》とともに、真田氏《さなだし》の独創的《どくそうてき》な謀略《ぼうりゃく》や戦術《せんじゅつ》を、つぎつぎと成功にみちびいていった。左近《さこん》自身も、忍者《にんじゃ》としての実力が高く、盛清《もりきよ》とならびたつほどの腕前《うでまえ》だったという。

一六〇〇年、徳川家康《とくがわいえやす》と豊臣《とよとみ》勢《ぜい》があらそった、関ヶ原《せきがはら》の戦《たたか》いがおこる。真田氏《さなだし》は、一族を分断《ぶんだん》して、徳川方《とくがわがた》と豊臣方《とよとみがた》の両方に加勢《かせい》した。これは、どちらが勝っても真田家《さなだけ》が存続《そんぞく》できるようにした、苦渋《くじゅう》の奇策《きさく》だった。左近《さこん》もまた、自身は徳川方《とくがわがた》へ、弟の重氏《しげうじ》は豊臣方《とよとみがた》へと、兄弟がはなればなれになった。

合戦は、徳川方《とくがわがた》が勝利した。徳川方《とくがわがた》についた真田勢《さなだぜい》は存続《そんぞく》をゆるされ、左近《さこん》はそこで重臣をまかされた。豊臣方《とよとみがた》についた真《さな》田勢《だぜい》は、左近《さこん》の弟もふくめて、その後の合戦で大半が戦死した。

しのび とらのまき

難攻不落《なんこうふらく》の岩櫃城《いわびつじょう》攻《ぜ》めで左近《さこん》の謀略《ぼうりゃく》が大成功

一五六三年、難攻不落《なんこうふらく》といわれた岩櫃《いわびつ》城《じょう》を真田軍《さなだぐん》が攻《せ》めたとき、横谷左近《よこやさこん》がしかけた謀略《ぼうりゃく》がみごとに成功した。

あたりの地形を知りつくしていた左近《さこん》は、まともな攻《せ》め方《かた》では城《しろ》を攻略《こうりゃく》できないとかんがえた。そこで、敵《てき》に休戦をもちかけて油断《ゆだん》させ、同時に、敵《てき》の武将《ぶしょう》たちに寝返《ねがえ》り工作をした。その後、寝返《ねがえ》った武将《ぶしょう》とともに攻撃《こうげき》を再開《さいかい》すると、城内《じょうない》は大混乱《だいこんらん》におちいり、城主《じょうしゅ》は城《しろ》をすてて逃亡《とうぼう》。岩櫃城《いわびつじょう》は真田軍《さなだぐん》の手におちた。

真田《さなだ》

唐沢玄蕃《からさわげんば》

主君《しゅくん》　真田昌幸《さなだまさゆき》

生没年《せいぼつねん》　生没年未詳《せいぼつねんみしょう》（安土《あづち》・桃山《ももやま》時代に活躍《かつやく》）

修験《しゅげん》道《どう》をきわめた忍者《にんじゃ》
真田《さなだ》衆《しゅう》筆頭《ひっとう》の「忍《しの》び名人」

真田《さなだ》氏《し》がかかえた忍者集団《にんじゃしゅうだん》の「真田衆《さなだしゅう》」のひとり。山にこもってきびしい修行《しゅぎょう》をつむという仏《ぶっ》教《きょう》の修験道《しゅげんどう》をきわめ、高度な忍《にん》術《じゅつ》を会得《えとく》した。父も同名の忍者《にんじゃ》で、親子で真田家《さなだけ》に仕《つか》えた。

唐沢玄蕃《からさわげんば》は、幼少期《ようしょうき》から修験《しゅげん》道《どう》の修行《しゅぎょう》にはげみ、それをつうじてさまざまな忍術《にんじゅつ》を身につけた。父のあとをついで真田家《さなだけ》に仕《つか》えた玄蕃《げんば》は、さらに忍術《にんじゅつ》にみがきをかけて「忍《しの》び名人」とよばれ、真田衆《さなだしゅう》の筆頭《ひっとう》とみられるようになる。

玄蕃《げんば》がとくに得意としたのは、跳躍術《ちょうやくじゅつ》と火術《かじゅつ》だった。主君から敵城《てきじょう》の攻略《こうりゃく》を命じられたときには、得意の跳躍術《ちょうやくじゅつ》で城《しろ》にやすやすと侵入《しんにゅう》し、火術《かじゅつ》をもちいて要所に火をはなった。敵《てき》が大混乱《だいこんらん》するなか、火はいきおいよくもえひろがり、またたく間に城《しろ》は焼けおちたという。

玄蕃《げんば》は、自分の馬に、きらびやかな金の馬鎧《うまよろい》をつけていたとされる。これは、玄蕃《げんば》が敵城《てきじょう》にしのびこんだ際《さい》にみつけて、もちかえった品である。戦場でひときわ目をひく豪華《ごうか》さだったため、大将《たいしょう》とまちがわれて、多くの敵兵《てきへい》にねらわれたのだという。玄蕃《げんば》は、敵《てき》の目をあざむくために、みずから主君のおとりをえんじていたのかもしれない。

しのびとらのまき

玄蕃《げんば》が会得《えとく》した超絶技《ちょうぜつわざ》
跳躍術《ちょうやくじゅつ》の「跳《と》び六法《ろっぽう》」

「跳《と》び六法《ろっぽう》」は、唐沢玄蕃《からさわげんば》も会得《えとく》していたとされる跳躍術《ちょうやくじゅつ》で、高跳《たかと》びや幅跳《はばと》びなどの六種類のジャンプをきわめた技《わざ》だ。

高跳《たかと》びでは、助走なしで約一・八メートルの高さまでとびあがる。幅跳《はばと》びでは約三・六メートル、左右とうしろには約二・七メートルをとぶ。さらには、約十二メートルの高さからとびおりて音をたてずに着地した。忍者《にんじゃ》は、これらの技《わざ》を会得《えとく》するため、成長がはやい麻《あさ》の上をとびこす修行《しゅぎょう》を日々《ひび》つづけたという。

真田《さなだ》

割田重勝《わりたしげかつ》

主君《しゅくん》　真田昌幸《さなだまさゆき》

生没年《せいぼつねん》　生年未詳《みしょう》～一六一八年
（安土《あづち》・桃山《ももやま》時代に活躍《かつやく》）

敵《てき》の名馬をうばいとった 大胆《だいたん》不敵《ふてき》な真田《さなだ》忍者《にんじゃ》

　信濃《しなの》の戦国大名である真田昌幸《さなだまさゆき》に仕《つか》えた武将《ぶしょう》。忍者集団《にんじゃしゅうだん》「真田衆《さなだしゅう》」の一員でもある。

　割田重勝《わりたしげかつ》は、武芸《ぶげい》や兵法《へいほう》にひいでた豪傑《ごうけつ》で、変装《へんそう》や情報収集《じょうほうしゅうしゅう》をはじめとしたあらゆる忍術《にんじゅつ》も会得《えとく》していた。そのすご腕《うで》から、古今無双《ここんむそう》の忍《しの》びの達人と周囲に称《しょう》され、主君の真田昌幸《さなだまさゆき》からもあつく信頼《しんらい》されたという。重勝《しげかつ》もその期待にこたえて、困難《こんなん》な状況下《じょうきょうか》で敵《てき》の機密《きみつ》をぬすみだしてきたり、重要な城《しろ》の守備《しゅび》をまかされて敵《てき》から守りぬいたりと、縦横無尽《じゅうおうむじん》のはたらきをした。

　忍術《にんじゅつ》の腕《うで》に自信があり、大胆《だいたん》不敵《ふてき》な性格《せいかく》だった重勝《しげかつ》は、敵陣《てきじん》に堂々《どうどう》とはいりこんで、敵兵《てきへい》を混乱《こんらん》させるのが得意だった。あるとき重勝《しげかつ》は、「よい馬と鞍《くら》がほしい」とおもいたち、蓑《みの》をかぶって馬のえさ売りに変装《へんそう》し、真っ昼間に敵陣《てきじん》にむかった。そして、陣中《じんちゅう》で豪華《ごうか》な鞍《くら》をつけた黒毛の名馬をみつけると、のっていた若侍《わかざむらい》をおだてあげて、乗馬のゆるしをえた。

　すばやく馬にまたがった重勝《しげかつ》は、大声をあげて自分の正体をあかし、たちまち自陣《じじん》へかけもどった。名馬をまんまとうばいとった重勝《しげかつ》は、ことのなりゆきを主君の昌幸《まさゆき》にはなし、豪華《ごうか》な鞍《くら》を昌幸《まさゆき》に献上《けんじょう》したという。

しのびとらのまき

太平の世におちぶれた忍者《にんじゃ》 重勝《しげかつ》もしがない盗人《ぬすっと》に

　徳川家康《とくがわいえやす》が江戸幕府《えどばくふ》をひらき、世の中が平和な時代をむかえると、忍者《にんじゃ》たちの多くは活躍《かつやく》の場をうしない、盗賊《とうぞく》などにおちぶれた。割田重勝《わりたしげかつ》も、真田家《さなだけ》をはなれて、ぬすみをはたらくようになる。

　重勝《しげかつ》は、かつての頭領《とうりょう》で、今や藩《はん》の家老となっていた出浦盛清《いでうらもりきよ》に、窃盗《せっとう》の罪《つみ》でとらえられ、処刑《しょけい》された。藩主《はんしゅ》の真田信之《さなだのぶゆき》は、この報告《ほうこく》をきいて、「割田《わりた》のぬすみは、私《わたし》がさせたようなものだ」とかなしんだという。

風魔党《ふうまとう》

風《ふう》魔《ま》小《こ》太《た》郎《ろう》

主《しゅ》君《くん》
北条氏政《ほうじょううじまさ》、北条氏直《ほうじょううじなお》

生没年《せいぼつねん》
生年未詳《みしょう》～一六〇三年
（安土《あづち》・桃山《ももやま》時代に活躍《かつやく》）

北条忍者《ほうじょうにんじゃ》「風魔党《ふうまとう》」の頭領《とうりょう》
残酷非道《ざんこくひどう》な冷血漢《れいけつかん》

関東《かんとう》一帯を支配《しはい》する北条氏《ほうじょうし》がかかえた、忍者集団《にんじゃしゅうだん》「風魔党《ふうまとう》」の、五代目頭領《とうりょう》。奇襲《きしゅう》で相手を攪乱《かくらん》させる戦法の、いわゆるゲリラ戦を得意とし、なさけ容赦《ようしゃ》なく敵《てき》を惨殺《ざんさつ》した。

風魔党《ふうまとう》は、相模《さがみ》の足柄山《あしがらやま》にある風間《かざま》という村にすみ、忍者《にんじゃ》として活動する際《さい》は「風魔《ふうま》」と称《しょう》した。風魔小太郎《ふうまこたろう》の名は歴代の頭領《とうりょう》のよび名だが、なかでも、北条氏政《ほうじょううじまさ》と氏直《うじなお》の二代に仕《つか》えた五代目風魔小太郎《ふうまこたろう》が異彩《いさい》をはなつ。身長は二メートル以上、手足の筋骨《きんこつ》はたくましく、目や口がさけていたなど、まるで怪物《かいぶつ》のようなすがただと、『北条五《ほうじょうご》代記《だいき》』に記録がある。その小太《こた》郎《ろう》がひきいた風魔党《ふうまとう》は、武田氏《たけだし》や上杉氏《うえすぎし》などの強豪勢力《きょうごうせいりょく》と、同等以上にわたりあったという。

一五八一年、甲斐《かい》の武田勝頼《たけだかつより》が駿河《するが》に侵攻《しんこう》し、黄瀬川《きせがわ》をはさんで北条軍《ほうじょうぐん》と対峙《たいじ》した。この黄《き》瀬川《せがわ》の戦《たたか》いで、小太郎《こたろう》は、二百人の手勢《てぜい》で夜間のゲリラ戦をしかける。夜ごと川をわたって武《たけ》田陣営《だじんえい》にしのびこむと、闇《やみ》にまぎれて次々《つぎつぎ》と敵《てき》を斬《き》り、火をはなちながら縦横無尽《じゅうおうむじん》にあばれまわった。攪乱《かくらん》された武田軍《たけだぐん》は、闇夜《やみよ》で敵《てき》と味方の判別《はんべつ》がつかず、同士《どうし》討ちで多くの死者をだし、ついには退却《たいきゃく》においこまれた。

しのびとらのまき

敵《てき》をみやぶる風魔《ふうま》の合図「立ちすぐり・居《い》すぐり」

黄瀬川《きせがわ》の戦《たたか》いで、風魔党《ふうまとう》の奇襲《きしゅう》に手をやいた武田勝頼《たけだかつより》は、自軍の忍者《にんじゃ》を風魔党《ふうまとう》に潜入《せんにゅう》させて、内情《ないじょう》をさぐろうとした。戦闘《せんとう》をおえた風魔党《ふうまとう》が自陣《じじん》に帰還《きかん》した際《さい》、小太郎《こたろう》が不意に合図をだすと、忍者《にんじゃ》たちが一斉《いっせい》にさっと立ちあがり、さっとすわった。これは風魔《ふうま》の「立ちすぐり・居《い》すぐり」という、仲間内にまぎれこんだ敵《てき》をみわける特別な合図だった。これを知らない武田忍者《たけだにんじゃ》は、すぐに正体をみやぶられ、即座《そくざ》に斬りすてられたという。

風魔党《ふうまとう》

二曲輪猪助《にのくるわいすけ》

主君《しゅくん》　北条氏康《ほうじょううじやす》

生没年《せいぼつねん》　生没年未詳《せいぼつねんみしょう》（安土《あづち》・桃山《ももやま》時代に活躍《かつやく》）

駿足《しゅんそく》ひかる風魔党忍者《ふうまとうにんじゃ》
敵陣《てきじん》から決死の脱出《だっしゅつ》

きわめて足が速い、風魔党《ふうまとう》の忍者《にんじゃ》。主君の北条氏《ほうじょうし》が危機《きき》におちいった河越夜戦《かわごえやせん》で、駿足《しゅんそく》をいかして敵情《てきじょう》をさぐり、味方を勝利へとみちびいた。

一五四六年、北条氏《ほうじょうし》の重要な拠点《きょてん》である河越城《かわごえじょう》が、上杉氏《うえすぎし》や足利氏《あしかがし》がひきいる八万もの敵《てき》兵《へい》にとりかこまれた。北条軍《ほうじょうぐん》は、城《しろ》にこもって応戦《おうせん》するという籠城《ろうじょう》の策《さく》をとり、味方の援軍《えんぐん》をまった。このとき二曲輪猪助《にのくるわいすけ》は、駿足《しゅんそく》をかわれて連絡係《れんらくがかり》に抜擢《ばってき》され、敵陣《てきじん》に潜入《せんにゅう》して内情《ないじょう》をさぐったり、城内《じょうない》の味方のようすなどをききだしたりして、本拠《ほんきょ》の小田原《おだわら》へと報告《ほうこく》をかさねた。

主君の北条氏康《ほうじょううじやす》は、その情報《じょうほう》をもとに、わずか八千の兵で援軍《えんぐん》を組織《そしき》し、夜襲《やしゅう》をかけて敵《てき》を撃破《げきは》。この河越夜戦《かわごえやせん》での勝利をきっかけに、北条氏《ほうじょうし》は、急速に勢力《せいりょく》を拡大《かくだい》させていく。

河越夜戦《かわごえやせん》の直前、猪助《いすけ》は、敵陣《てきじん》で正体をみやぶられた。太田《おおた》犬之助《いぬのすけ》という敵《てき》の忍者《にんじゃ》が猛追《もうつい》してきたが、自慢《じまん》の足でそれをふりきり、小田原《おだわら》へとにげおちる。後日、猪助《いすけ》と犬之助《いぬのすけ》は、どちらの足がはやいか決着をつけようと、任務《にんむ》ぬきで勝負をした。すると犬之助《いぬのすけ》は、はしっている途中《とちゅう》で息がつづかずに死んでしまい、猪助《いすけ》の勝利におわった。

しのびとらのまき

北条氏《ほうじょうし》をささえた風魔党《ふうまとう》 主君をうしない盗賊《とうぞく》に

風魔党《ふうまとう》は、百年にわたり北条氏《ほうじょうし》に仕《つか》え、その勢力拡大《せいりょくかくだい》に貢献《こうけん》してきた。しかし、豊臣秀吉《とよとみひでよし》による小田原征伐《おだわらせいばつ》で北条氏《ほうじょうし》がほろびてしまうと、主君をうしなった風魔党《ふうまとう》は、盗賊《とうぞく》になりさがってしまう。

江戸《えど》時代、江戸《えど》の市中で強盗《ごうとう》をくりかえす風魔党《ふうまとう》に対し、幕府《ばくふ》は、多額《たがく》の懸賞金《けんしょうきん》をだして撲滅《ぼくめつ》にのりだした。その結果、武田氏《たけだし》の忍者《にんじゃ》だった高坂甚内《こうさかじんない》に隠《かく》れ家《が》をあばかれ、五代目風魔小太郎《ふうまこたろう》をふくむ一味は、全員とらわれて処刑《しょけい》された。

※河越夜戦《かわごえやせん》は「かわごえよいくさ」ともよみます。

座頭衆《ざとうしゅう》

琵《び》琶《わ》法《ほう》師《し》勝《しょう》一《いち》

主君《しゅくん》　毛利元就《もうりもとなり》

生没年《せいぼつねん》　生没年未詳《せいぼつねんみしょう》（戦国時代に活躍《かつやく》）

琵琶《びわ》法師《ほうし》に扮《ふん》して暗躍《あんやく》 毛利《もうり》忍者《にんじゃ》「座頭衆《ざとうしゅう》」の一員

毛利元就《もうりもとなり》がつくった忍者組《にんじゃそ》織《しき》「座頭衆《ざとうしゅう》」のひとり。琵琶法《びわほう》師《し》として敵《てき》の内部にもぐりこみ、情報収集《じょうほうしゅうしゅう》をおこなった。琵琶法《びわほう》師《し》とは、諸国《しょこく》をめぐって琵琶《びわ》をひきながら平家物語《へいけものがたり》をかたる盲《もう》目《もく》の僧《そう》のことで、座頭《ざとう》は、そのなかで最下級の者をさす。

安芸《あき》の大名、毛利元就《もうりもとなり》は、琵《び》琶法師《わほうし》ならば他国の情報《じょうほう》があつめやすいとかんがえ、琵琶法師《びわほうし》の忍者集団《にんじゃしゅうだん》「座頭衆《ざとうしゅう》」を組織《そしき》した。琵琶法師勝一《びわほうししょういち》もその一員で、知識《ちしき》が豊富《ほうふ》で頭の回転がよく、琵琶《びわ》もうまかったことから、元《もと》就《なり》に重用《ちょうよう》されたという。

元就《もとなり》が毛利家《もうりけ》の当主についたとき、弟の相合元綱《あいおうもとつな》が、元就《もとなり》の暗殺をくわだてているといううわさがたった。元就《もとなり》は、その真《しん》偽《ぎ》をたしかめるべく、勝一《しょういち》を元《もと》綱《つな》のもとへおくりこむ。勝一《しょういち》は、琵琶法師《びわほうし》として元綱《もとつな》に近づき、平家物語《へいけものがたり》をかたりつつ情報《じょうほう》を収《しゅう》集《しゅう》して、ついに元綱《もとつな》が謀反《むほん》をたくらんでいる証拠《しょうこ》をつきとめた。

勝一《しょういち》は、元綱《もとつな》の裏切《うらぎ》りを元就《もとなり》につたえたうえで、「わたしの琵琶《びわ》の音色にまぎれて討《う》ちいりを」と進言した。そして翌日《よくじつ》、勝一《しょういち》が元綱《もとつな》の前で琵琶《びわ》をかきならしているときに、元就《もとなり》の手勢《てぜい》が屋敷《やしき》にのりこんできて、一刀のもとに元綱《もとつな》を討《う》ちとった。

しのび とらのまき

多数の忍者《にんじゃ》をつかい覇権《はけん》を手にした毛利元就《もうりもとなり》

毛利家《もうりけ》は、もとは安芸《あき》の小領主《しょうりょうしゅ》にすぎなかったが、毛利元就《もうりもとなり》が当主になると、あらゆる策謀《さくぼう》をもちいてまたたく間に勢《せい》力《りょく》を広げ、一代で中国《ちゅうごく》地方一帯の制覇《せいは》をなしとげた。

元就《もとなり》は、養子縁組《ようしえんぐみ》や政略結婚《せいりゃくけっこん》で地盤《じばん》をかためる一方で、寝返《ねがえ》り工作や暗殺をしかけて、敵《てき》を弱体化させていった。それらの任務《にんむ》には、座頭衆《ざとうしゅう》のほかにも、世鬼《せき》一族《いちぞく》という忍者衆《にんじゃしゅう》など、多数の忍者《にんじゃ》がかかわったといわれる。

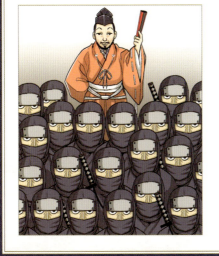

毛利《もうり》

杉《すぎ》原《はら》盛《もり》重《しげ》

主君《しゅくん》　毛利元就《もうりもとなり》、毛利輝元《もうりてるもと》

生没年《せいぼつねん》　一五三三年～一五八二年（安土《あづち》・桃山《ももやま》時代に活躍《かつやく》）

忍者《にんじゃ》から武将《ぶしょう》に大出世
毛利元就《もうりもとなり》に仕《つか》えた豪傑《ごうけつ》

毛利家《もうりけ》に仕《つか》えた忍者《にんじゃ》で、のちに家臣にとりたてられた武将《ぶしょう》。目が細くて無表情《むひょうじょう》だったことで、「お面杉原《めんすぎはら》」というあだ名をもつ。配下の兵をすご腕《うで》の忍者軍《にんじゃぐん》団《だん》にきたえあげ、数々《かずかず》の合戦でめざましい戦功《せんこう》をあげた。

杉原盛重《すぎはらもりしげ》は、合戦での勇猛果《ゆうもうか》敢《かん》なたたかいぶりをみとめられて、忍者《にんじゃ》の身分から毛利《もうり》家臣にとりたてられ、城《しろ》もあたえられた。そして、策略家《さくりゃくか》の毛利元就《もうりもとなり》のもとで侍大将《さむらいだいしょう》をつとめ、配下の忍者《にんじゃ》たちをつかって元就《もとなり》の謀《ぼう》略《りゃく》をささえた。

盛重《もりしげ》は、山賊《さんぞく》や海賊《かいぞく》といった荒《あら》くれ者《もの》を、このんで配下にむかえいれた。そして、みずからの指導《しどう》で忍術《にんじゅつ》を伝授《でんじゅ》して、精鋭《せいえい》部隊《ぶたい》を結成。彼《かれ》らは、かたく守られた敵陣《てきじん》にもやすやすとしのびこみ、またたく間に壊滅《かいめつ》させることができたという。

毛利軍《もうりぐん》が、中国地方《ちゅうごくちほう》に侵攻《しんこう》してきた羽柴秀吉軍《はしばひでよしぐん》と対峙《たいじ》してにらみあいになったとき、盛重《もりしげ》は、配下の忍者《にんじゃ》に「腕《うで》だめしをしてこい」とけしかけた。すると、二十名ほどの忍者《にんじゃ》がそれにこたえ、夜に敵陣《てきじん》へと侵入《しんにゅう》して、敵《てき》兵《へい》を次々《つぎつぎ》と斬《き》って帰還《きかん》した。その後も毎晩《まいばん》おなじことをくりかえしていると、なすすべのない敵軍《てきぐん》は、ついに撤退《てったい》していった。

しのびとらのまき

盛重軍団《もりしげぐんだん》の筆頭格《ひっとうかく》
幻術《げんじゅつ》の達人「佐田彦四郎《さだひこしろう》」

佐田彦四郎《さだひこしろう》は、杉原盛重《すぎはらもりしげ》配下の忍者《にんじゃ》のなかでもぬきんでた忍術《にんじゅつ》を会得《えとく》していた。幻術《げんじゅつ》を得意とし、狐《きつね》や狸《たぬき》のように敵《てき》をまどわせることができたため、「狐狸《こり》の変《へん》化《げ》」と周囲に称《しょう》されたという。

ある武士《ぶし》から刀をぬすんだ際《さい》は、天井《てんじょう》から水滴《すいてき》をたらして雨もりにみせかけ、ねていた武士《ぶし》がおきて外に様子をみにいったすきに、枕元《まくらもと》の刀をうばった。

弟の甚五郎《じんごろう》、末弟の子鼠《こねずみ》も忍者《にんじゃ》で、「佐田《さだ》三兄弟」として活躍《かつやく》した。

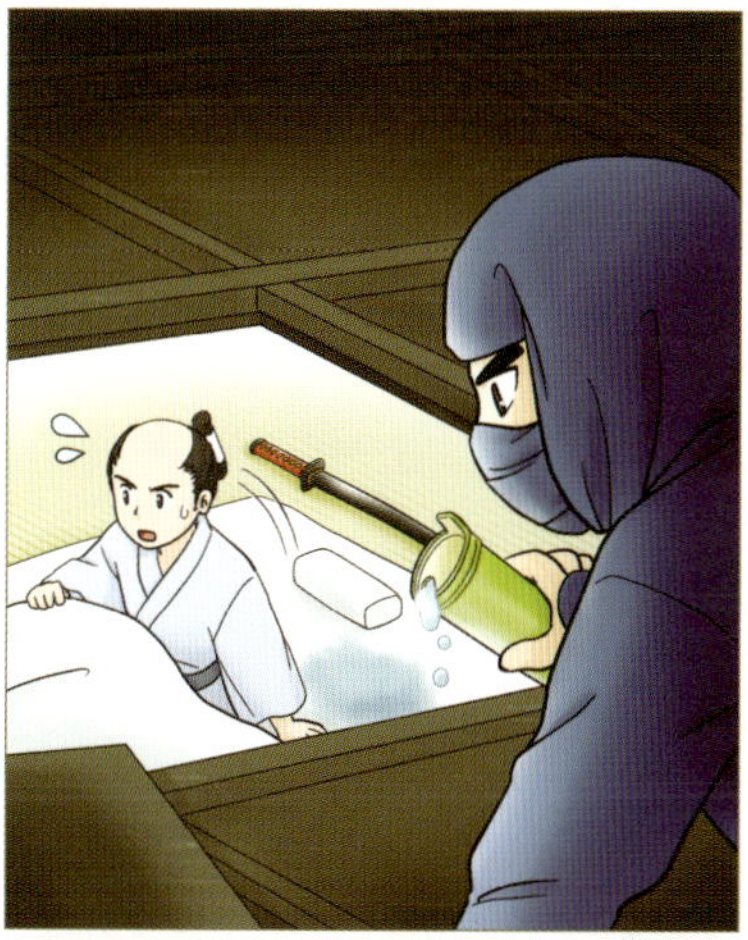

鉢屋衆《はちやしゅう》

鉢《は》屋《ち》弥《や》三《や》郎《さぶろう》

主君《しゅくん》 尼子経久《あまごつねひさ》

生没年《せいぼつねん》 生没年未詳《せいぼつねんみしょう》（戦国時代初期に活躍《かつやく》）

尼子氏《あまごし》を大名におしあげた忍者集団《にんじゃしゅうだん》「鉢屋衆《はちやしゅう》」の頭領《とうりょう》

奇襲《きしゅう》や城《しろ》攻《ぜ》めなど、戦闘《せんとう》を得意とする「鉢屋衆《はちやしゅう》」をひきいた頭領《とうりょう》。浪人《ろうにん》におちぶれていた尼《あま》子氏《ごし》に仕《つか》えて数々《かずかず》の合戦に勝利し、尼子氏《あまごし》を中国《ちゅうごく》地方で有数の大名にまでおしあげた。

戦国時代の初期、尼子氏《あまごし》は、下克上《げこくじょう》の風潮《ふうちょう》にのって大名にのしあがろうとしたが、失敗して居城《きょじょう》の月山富田城《がっさんとだじょう》をうばわれ、浪人《ろうにん》になってしまった。尼子氏《あまごし》は、城《しろ》を奪還《だっかん》すべく、かつての仲間に協力をもとめたが、だれも耳をかさなかった。そんななか、かつての家臣の鉢屋弥三郎《はちややさぶろう》が、配下の鉢屋衆《はちやしゅう》とともに加勢《かせい》することを快諾《かいだく》する。

弥三郎《やさぶろう》は、月山富田城《がっさんとだじょう》を攻略《こうりゃく》するため、大胆《だいたん》な奇襲《きしゅう》作戦をとった。毎年の元日《がんじつ》に城内《じょうない》でおこなわれる演芸《えんげい》に、演者《えんじゃ》に変装《へんそう》した鉢屋衆《はちやしゅう》をまぎれこませたのだ。そして、演目《えんもく》がもりあがったところで、こっそりとその場をはなれて城内《じょうない》に火をはなち、混乱《こんらん》する敵兵《てきへい》を次々《つぎつぎ》と斬《き》りたおして、一気に城《しろ》を攻《せ》めおとした。

月山富田城《がっさんとだじょう》をうばいかえした尼子氏《あまごし》は、弥三郎《やさぶろう》と鉢屋衆《はちやしゅう》の助力をえて隣国《りんごく》に攻《せ》めいり、急速に勢力《せいりょく》を拡大《かくだい》させた。そして、ついには中国《ちゅうごく》地方東部の一帯を制覇《せいは》して、全国有数の大名にまでのしあがった。

しのびとらのまき

古くは盗賊《とうぞく》だった鉢屋衆《はちやしゅう》 空也上人《くうやしょうにん》にさとされて改心

鉢屋弥三郎《はちややさぶろう》が頭領《とうりょう》になる数百年前、平《へい》安《あん》時代中期のころの鉢屋衆《はちやしゅう》は、京《きょう》の町をあらす盗賊集団《とうぞくしゅうだん》だった。あるとき、彼《かれ》らが僧侶《そうりょ》におそいかかったところ、それは名僧《めいそう》の空也上人《くうやしょうにん》だった。上人《しょうにん》は、盗賊《とうぞく》たちをときふせて改心させ、朝廷《ちょうてい》にとりなして、京《きょう》の町の警護役《けいごやく》につかせた。

盗賊《とうぞく》の手口を知りつくす鉢屋衆《はちやしゅう》は、町をきびしくとりしまり、とらえた盗賊《とうぞく》は改心させて仲間にむかえた。その評判《ひょうばん》は諸国《しょこく》に広がり、絶賛《ぜっさん》されたという。

雑賀衆《さいかしゅう》

雑《さい》賀《か》孫《まご》一《いち》

主《しゅ》君《くん》
一向宗《いっこうしゅう》、豊臣秀吉《とよとみひでよし》ほか

生没年《せいぼつねん》
生没年未詳《せいぼつねんみしょう》
（安土《あづち》・桃山《ももやま》時代に活躍《かつやく》）

織田信長《おだのぶなが》に一矢《いっし》むくいた鉄砲部隊《てっぽうぶたい》「雑賀衆《さいかしゅう》」の頭領《とうりょう》

鉄砲術《てっぽうじゅつ》に卓越《たくえつ》した忍者集団《にんじゃしゅうだん》の「雑賀衆《さいかしゅう》」の頭領《とうりょう》。雑賀孫一《さいかまごいち》は通称《つうしょう》で、本名は鈴木重秀《すずきしげひで》という。一向宗《いっこうしゅう》の熱心な門徒《もんと》で、織田信《おだのぶ》長《なが》が石山本願寺《いしやまほんがんじ》をせめた石山合《いしやまかっ》戦《せん》では、織田軍《おだぐん》にたちむかった。

雑賀衆《さいかしゅう》は、紀州《きしゅう》東部に拠点《きょてん》をおく忍者集団《にんじゃしゅうだん》で、数千丁《ちょう》の鉄砲《てっぽう》をそなえ、諸国《しょこく》の武将《ぶしょう》にやとわれて戦場で活躍《かつやく》していた。雑賀《さいか》孫一《まごいち》は、たくみな采配《さいはい》で雑賀《さいか》の鉄砲部隊《てっぽうぶたい》をあやつり、忍術《にんじゅつ》をもちいた奇策《きさく》もくみあわせて、戦勝に貢献《こうけん》した。そのため、雑賀《さいか》衆《しゅう》は「味方にすれば必勝し、敵《てき》にまわせば負ける」といわれた。

一五七〇年、織田信長《おだのぶなが》と一向《いっこう》宗総本山《しゅうそうほんざん》の石山本願寺《いしやまほんがんじ》との間で合戦がはじまると、一向宗門徒《いっこうしゅうもんと》の雑賀孫一《さいかまごいち》は、本願寺《ほんがんじ》からのもとめにおうじて、雑賀衆《さいかしゅう》をひきいて参戦する。孫一《まごいち》は、戦場で敵《てき》の軍旗をかかげ、援軍《えんぐん》のふりをして近づいてから、いっせいに銃撃《じゅうげき》するという「捨《す》て旗《ばた》の術《じゅつ》」で織田軍《おだぐん》を猛攻《もうこう》した。その奇襲《きしゅう》に翻弄《ほんろう》された織田軍《おだぐん》は、いったん退却《たいきゃく》せざるをえなかったという。

石山合戦《いしやまかっせん》は織田軍《おだぐん》の勝利におわったが、その後、信長《のぶなが》が死亡《しぼう》して豊臣秀吉《とよとみひでよし》が天下をとると、孫一《まごいち》は秀吉《ひでよし》にまねかれ、豊臣軍《とよとみぐん》の鉄砲大将《てっぽうだいしょう》に任命《にんめい》された。

しのびとらのまき

数千丁《ちょう》もの鉄砲《てっぽう》を所持した雑賀《さいか》鉄砲隊《てっぽうたい》とは？

雑賀衆《さいかしゅう》の地元は、鍛冶《かじ》と海運がさかんで、交易《こうえき》でゆたかな富《とみ》をえていた。海外から鉄砲《てっぽう》がもたらされると、彼《かれ》らは、豊《ほう》富な資金《しきん》で最新式の鉄砲《てっぽう》を購入《こうにゅう》する。その鉄砲《てっぽう》を参考に、発達した鍛冶《かじ》の技術《ぎじゅつ》をもちいて、自前の鉄砲《てっぽう》を大量に製造《せいぞう》した。

雑賀衆《さいかしゅう》は、子どものころから射撃《しゃげき》の腕《うで》をみがいたという。なかには、「蛍《ほたる》」「小雀《すずめ》」とあだ名される名人もいた。その子どもたちは、蛍《ほたる》や小雀《こすずめ》を撃《う》ちおとすほどの腕前《うでまえ》をもっていたという。

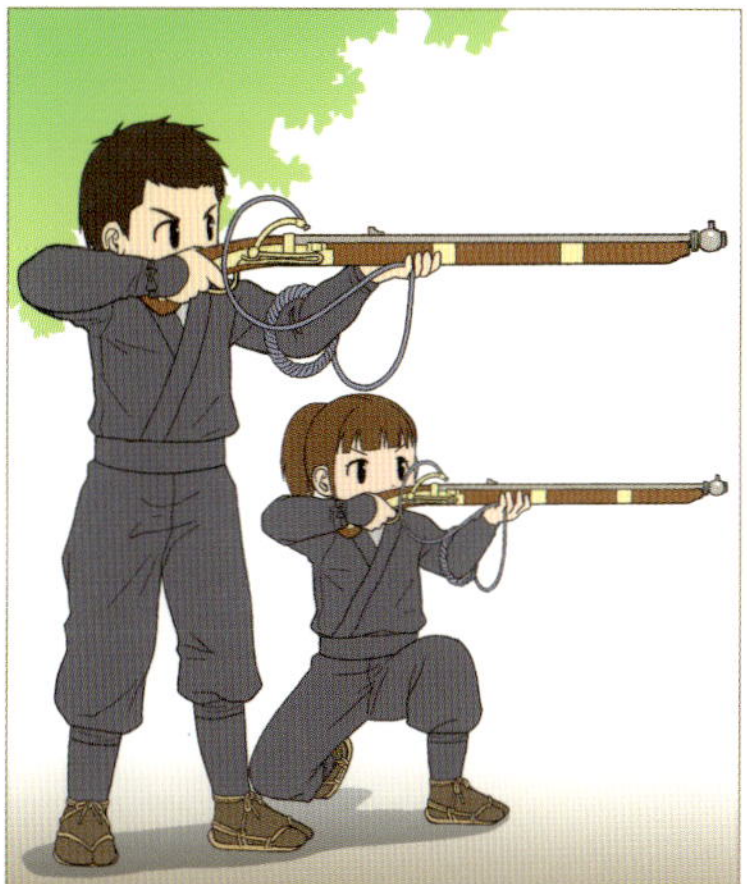

黒脛巾組《くろはばきぐみ》

大《だい》林《りん》坊《ぼう》俊《しゅん》海《かい》

主《しゅ》君《くん》　伊達《だて》政宗《まさむね》

生没年《せいぼつねん》　一五六七年〜没年未詳《ぼつねんみしょう》（安土《あづち》・桃山《ももやま》時代に活躍《かつやく》）

伊達《だて》政宗《まさむね》がつくった忍者衆《にんじゃしゅう》「黒脛巾組《くろはばきぐみ》」の鬼才《きさい》

東北《とうほく》地方南部を支配《しはい》した伊達《だて》家《け》に仕《つか》える忍者《にんじゃ》で、当主の伊達《だて》政宗《まさむね》が組織《そしき》した忍者集団《にんじゃしゅうだん》「黒《くろ》脛巾組《はばきぐみ》」の一員。情報《じょうほう》をあやつって敵《てき》を混乱《こんらん》させる謀略術《ぼうりゃくじゅつ》で、めざましい功績《こうせき》をのこした。

大林坊俊海《だいりんぼうしゅんかい》は、もとは山中で仏教《ぶっきょう》をまなぶ修験道《しゅげんどう》の僧《そう》で、きびしい修行《しゅぎょう》のなかで高度な忍術《にんじゅつ》も身につけた。出羽《でわ》の大名の伊《だ》達政宗《てまさむね》は、独自《どくじ》の忍者集団《にんじゃしゅうだん》「黒《くろ》脛巾組《はばきぐみ》」を組織《そしき》するとき、俊海《しゅんかい》の忍術《にんじゅつ》の実力をききつけて、その一員にむかえいれる。俊海《しゅんかい》は、情報《じょうほう》の収集《しゅうしゅう》や操作《そうさ》で高い能力《のうりょく》を発揮《はっき》し、政宗《まさむね》から重用《ちょうよう》された。

一五八五年、東北《とうほく》地方南部に勢力《せいりょく》を広げていた政宗《まさむね》は、周辺国が連合した三万の兵に攻《せ》めこまれた。人取橋《ひとどりばし》の戦《たたか》いとよばれるこの合戦で、七千の兵しかいない伊達軍《だてぐん》は、絶体絶命《ぜったいぜつめい》の窮地《きゅうち》におちいる。

そのとき俊海《しゅんかい》は、政宗《まさむね》から密《みっ》命《めい》をうけて敵陣《てきじん》へとしのびこみ、「裏切《うらぎ》り者《もの》がいる」とにせの情報《じょうほう》をばらまいて、敵将《てきしょう》の不和をあおった。これは、よせあつめの連合軍の結束が弱いことをついた、たくみな謀略術《ぼうりゃくじゅつ》だった。そのねらいどおり、疑心暗鬼《ぎしんあんき》にかられた敵将《てきしょう》たちは、戦意をなくして次々《つぎつぎ》と退却《たいきゃく》。伊達軍《だてぐん》は、奇《き》跡的《せきてき》な勝利をつかみとった。

しのびとらのまき

情報収集《じょうほうしゅうしゅう》にたけた黒脛巾組《くろはばきぐみ》 風呂屋《ふろや》に潜伏《せんぷく》した忍者《にんじゃ》も

伊達政宗《だてまさむね》が、肝《きも》いりで創設《そうせつ》したとされる黒脛巾組《くろはばきぐみ》。彼《かれ》らは、その名のとおり、革製《かわせい》の黒いすねあてをつけていたという。

俊海《しゅんかい》とならんで活躍《かつやく》した忍者《にんじゃ》に、太宰《だざい》金助《きんすけ》という人物がいる。彼《かれ》は、敵《てき》の内情《ないじょう》をさぐるため、敵地《てきち》にある風呂屋《ふろや》にすみこんで、入浴客の会話をぬすみぎきした。当時の風呂屋《ふろや》は、うわさや本音をざっくばらんにはなせる社交場だったため、金《きん》助《すけ》は、たくさんの有用な情報《じょうほう》をあつめることができたという。

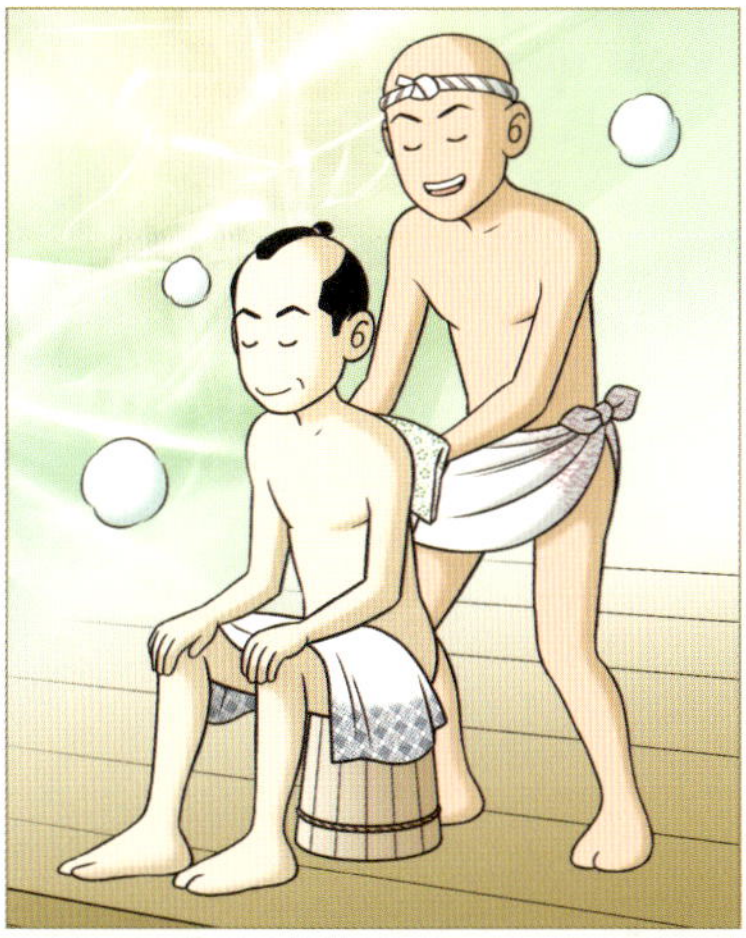

不明

曾《そ》呂《ろ》利《り》新《しん》左《ざ》衛《え》門《もん》

主《しゅ》君《くん》　豊臣秀吉《とよとみひでよし》

生没年《せいぼつねん》　生没年《せいぼつねん》未詳《みしょう》（安土《あづち》・桃山《ももやま》時代に活躍《かつやく》）

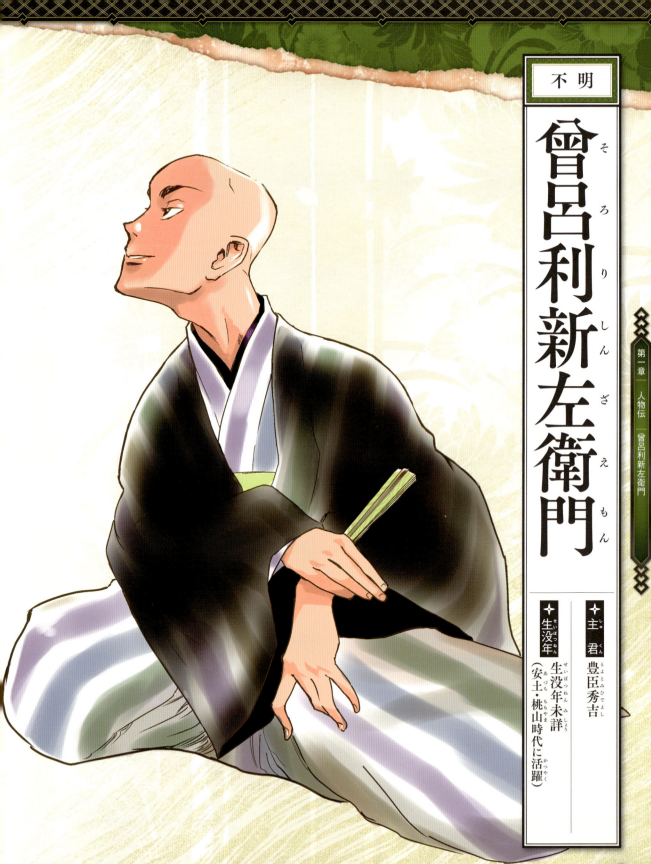

豊臣《とよとみ》秀吉《ひでよし》と旧来《きゅうらい》の仲
物知りで話上手な忍者《にんじゃ》

主君の話し相手をつとめる御《お》伽衆《とぎしゅう》として、豊臣秀吉《とよとみひでよし》に長年仕《つか》えた忍者《にんじゃ》。本名は杉本彦右衛門《すぎもとひこえもん》。博学で機転がきき、あかるい性《せい》格《かく》だったことで、秀吉《ひでよし》から愛された。謎《なぞ》が多い人物で、実在《じつざい》しないともいわれる。

盗賊《とうぞく》を意味する「曾呂利《そろり》」の名をもつ新左衛門《しんざえもん》は、もとは盗《とう》賊《ぞく》だったとみられる。また、彼《かれ》は刀の鞘《さや》づくりの名人で、その鞘《さや》には刀がソロリと軽快《けいかい》におさまったという逸話《いつわ》から、この名でよばれたともいわれる。

新左衛門《しんざえもん》は、秀吉《ひでよし》がまだ木下《きのした》藤吉郎《とうきちろう》と名のっていた若《わか》いころに、忍者《にんじゃ》のひとりとして配下にくわわった。頭の回転がはやく、話術《わじゅつ》もたくみだったため、秀吉《ひでよし》に気にいられてそばによりそうようになる。そして、忍者《にんじゃ》仲間からよせられた諸国《しょこく》の情報《じょうほう》を秀《ひで》吉《よし》につたえつつ、軍事戦略《せんりゃく》からくだらない笑い話にいたるまで、なんでも気軽にはなしあった。秀吉《ひでよし》の家臣たちは、新左衛門《しんざえもん》のことをごきげんとりの道化者《どうけもの》とみていたが、秀吉《ひでよし》は、新左衛門《しんざえもん》にだけは心のうちをあかしていたという。

新左衛門《しんざえもん》は、秀吉《ひでよし》が織田信長《おだのぶなが》の家臣として出世し、天下人となって病没《びょうぼつ》するまで、約三十年も御伽衆《おとぎしゅう》をつとめつづけた。

しのびとらのまき

米一粒《つぶ》がとほうもない数に秀吉《ひでよし》をこまらせた褒美《ほうび》の話

とんちが得意な新左衛門《しんざえもん》は、秀吉《ひでよし》から褒美《ほうび》をもらえることになった際《さい》、謙虚《けんきょ》なふりをして次のようにたのんだ。

「米粒《つぶ》を、今日は一粒《つぶ》、明日はその倍の二粒《つぶ》、その翌日《よくじつ》はさらに倍の四粒《つぶ》と、毎日二倍にして、将棋《しょうぎ》のマス目とおなじ八十一日つづけてください」

秀吉《ひでよし》はそれを即座《そくざ》に了承《りょうしょう》したが、計算してみると、最終日には膨大《ぼうだい》な米の量になってしまうことがわかり、あわてて新《しん》左衛門《ざえもん》にとりさげてもらったという。

不明

果《か》心《しん》居《こ》士《じ》

主君《しゅくん》 不明

生没年《せいぼつねん》 生没年《せいぼつねん》未詳《みしょう》（戦国時代に活躍《かつやく》）

摩訶不思議《まかふしぎ》な伝説の数々《かずかず》
謎《なぞ》多き天才幻術師《げんじゅつし》

まぼろしをみせて人の目をまどわす、幻術《げんじゅつ》のつかい手。実在《じつざい》がうたがわれる謎《なぞ》の人物だが、多くの書物に名前がしるされ、戦国武将《ぶしょう》たちとの逸話《いつわ》ものこされている。

果心居士《かしんこじ》は、おさないころから、すでに幻術《げんじゅつ》の達人だったという。古い書物には、とっくりのなかにはいれるほど体を小さくすることができて、高い塔《とう》でも縄《なわ》一本でたやすくのぼったとしるされている。また、池にうかべた木の葉を鯉《こい》にかえたり、掛《か》け軸《じく》の絵から水をだしたりすることもできたとされている。

幻術《げんじゅつ》の腕前《うでまえ》をかわれて、何人かの戦国武将《ぶしょう》に仕《つか》えていた時期もあったようだ。織田信長《おだのぶなが》や明《あけ》智光秀《ちみつひで》、豊臣秀吉《とよとみひでよし》などに幻術《げんじゅつ》を披露《ひろう》したとする記録もあり、その幻術《げんじゅつ》を目《ま》のあたりにした武将《ぶしょう》たちは一様《いちよう》におどろいたそうで、豊臣秀吉《とよとみひでよし》にいたっては、とりみだして激怒《げきど》したという。

江戸《えど》時代になってから、徳川《とくがわ》家康《いえやす》の前に、八十八歳《さい》になった果心居士《かしんこじ》がふらりとあらわれたという記録もある。古くから果《か》心居士《しんこじ》を知っていた家康《いえやす》は、彼《かれ》を自分の城《しろ》にまねきいれて、それぞれの壮絶《そうぜつ》な体験をふりかえるなどして、昔話に花をさかせたという。

しのびとらのまき

幻術《げんじゅつ》をみた秀吉《ひでよし》が激怒《げきど》　あわや処刑《しょけい》の大ピンチ

果心居士《かしんこじ》は、天下人の豊臣秀吉《とよとみひでよし》によばれて城《しろ》におもむき、幻術《げんじゅつ》を披露《ひろう》した。期待に胸《むね》をはずませていた秀吉《ひでよし》だったが、その幻術《げんじゅつ》は、秀吉《ひでよし》が若《わか》いころに傷《きず》つけ殺した女性《じょせい》が、うらめしい表情《ひょうじょう》でくるしげにあらわれるというものだった。

自分しか知らないはずの非道《ひどう》な行為《こうい》をありありと再現《さいげん》された秀吉《ひでよし》は、激怒《げきど》して果心居士《かしんこじ》を処刑《しょけい》しようとした。すると、果心居士《かしんこじ》は鼠《ねずみ》に変身して、とんできたトビにさらわれていったのだという。

全国の忍者《にんじゃ》のよび名と流派《りゅうは》

全国各地に存在《そんざい》した忍者《にんじゃ》には、それぞれのよび名と流派《りゅうは》がありました。よび名は、「忍者《にんじゃ》」という呼称《こしょう》がなかったため、地域《ちいき》ごとにちがいます。流派《りゅうは》は、忍者《にんじゃ》の武芸《ぶげい》の系統《けいとう》をあらわします。

岡山県《おかやま》
よび名：忍之者《しのびのもの》
流派《りゅうは》：備前流《びぜんりゅう》、上泉流《じょうせんりゅう》

高知県《こうち》
流派《りゅうは》：三雲流《みくもりゅう》、伊賀流《いがりゅう》

徳島県《とくしま》
よび名：伊賀役《いがやく》
流派《りゅうは》：不動真徳流《ふどうしんとくりゅう》、一佐流《いっさりゅう》

広島県《ひろしま》
よび名：外聞《そとききき》
流派《りゅうは》：福島流《ふくしまりゅう》、引光流《いんこうりゅう》

島根県《しまね》
よび名：鉢屋衆《はちやしゅう》、座頭衆《ざとうしゅう》、賀麻《がま》

山口県《やまぐち》
よび名：忍《しのび》の兵《つわもの》、座頭衆《ざとうしゅう》
流派《りゅうは》：高木流《たかぎりゅう》

福岡県《ふくおか》
よび名：秘密役《ひみつやく》
流派《りゅうは》：黒田流《くろだりゅう》、伊賀流《いがりゅう》

長崎県《ながさき》
流派《りゅうは》：南蛮流《なんばんりゅう》、揚心流《ようしんりゅう》

熊本県《くまもと》
よび名：関《せき》やぶり
流派《りゅうは》：大江流《おおえりゅう》、八幡流《はちまんりゅう》

佐賀県《さが》
よび名：細作《さいさく》

愛知県《あいち》
よび名：饗談《きょうだん》、甲賀之者《こうかのもの》
流派《りゅうは》：一全流《いちぜんりゅう》、伊賀流《いがりゅう》、甲賀流《こうかりゅう》、自知流《じちりゅう》、南木流《なぎりゅう》、滝野流《たきのりゅう》

福井県《ふくい》
よび名：忍之衆《しのびのしゅう》、三島党《みしまとう》
流派《りゅうは》：義経流《ぎけいりゅう》

滋賀県《しが》
よび名：志能便《しのび》、甲賀者《こうかもの》、甲賀忍《こうかにん》
流派《りゅうは》：甲賀流《こうかりゅう》（望月流《もちづきりゅう》、蒲生流《がもうりゅう》、木村流《きむらりゅう》ほか）

京都府《きょうと》
よび名：早業之者《はやわざのもの》
流派《りゅうは》：村雲流《むらくもりゅう》、三刀流《さんとうりゅう》、小笠原流《おがさわらりゅう》、氏隆流《うじたかりゅう》、山崎流《やまざきりゅう》

大阪府《おおさか》
よび名：奪口《だっこう》、水破《すっぱ》
流派《りゅうは》：楠木流《くすのきりゅう》

兵庫県《ひょうご》
流派《りゅうは》：村雲流《むらくもりゅう》、村雨流《むらさめりゅう》

鳥取県《とっとり》
よび名：伊賀者《いがもの》
流派《りゅうは》：出雲神流《いずもしんりゅう》、武蔵円明流《むさしえんめいりゅう》

山形県《やまがた》・秋田県《あきた》
流派《りゅうは》：羽黒流《はぐろりゅう》

福島県《ふくしま》
よび名：甲賀者《こうかもの》
流派《りゅうは》：甲賀流《こうかりゅう》、山神流《やまがみりゅう》

新潟県《にいがた》
よび名：夜盗組《やとうぐみ》、伏齅《ふしかぎ》
流派《りゅうは》：上杉流《うえすぎりゅう》、加治流《かじりゅう》、越後流《えちごりゅう》、神財流《しんざいりゅう》

長野県《ながの》
よび名：真田衆《さなだしゅう》、突破《とっぱ》、飯綱使《いづなつか》い
流派《りゅうは》：戸隠流《とがくしりゅう》、青木流《あおきりゅう》、芥川流《あくたがわりゅう》、伊藤流《いとうりゅう》

富山県《とやま》
よび名：伊賀者《いがもの》

岐阜県《ぎふ》
よび名：素破《すっぱ》
流派《りゅうは》：大垣流《おおがきりゅう》、美濃流《みのりゅう》

石川県《いしかわ》
よび名：偸組《ぬすみぐみ》
流派《りゅうは》：越前流《えちぜんりゅう》、無拍子流《むびょうしりゅう》

青森県《あおもり》
よび名：早道之者《はやみちのもの》、草《くさ》
流派《りゅうは》：中川流《なかがわりゅう》、甲賀流《こうかりゅう》

岩手県《いわて》
よび名：間盗役《かんとうやく》

宮城県《みやぎ》
よび名：黒脛巾組《くろはばきぐみ》、草《くさ》
流派《りゅうは》：山形流《やまがたりゅう》、西法院流《さいほういんりゅう》、甲賀伊賀流《こうかいがりゅう》

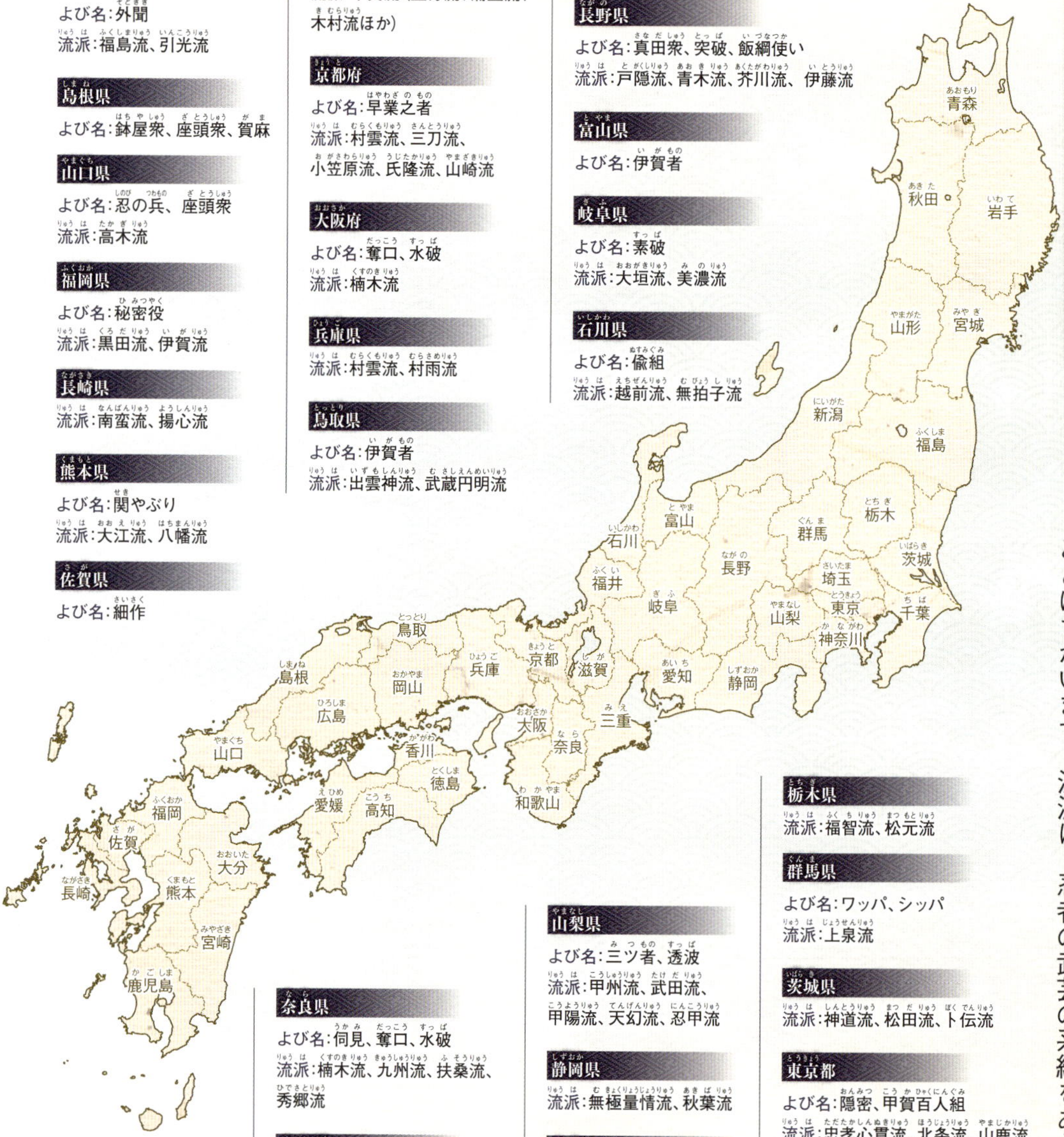

鹿児島県《かごしま》
よび名：山潜《やまもぐ》り、真方衆《まがたんし》
流派《りゅうは》：兵道《へいどう》、鞍馬揚心流《くらまようしんりゅう》

奈良県《なら》
よび名：伺見《うかみ》、奪口《だっこう》、水破《すっぱ》
流派《りゅうは》：楠木流《くすのきりゅう》、九州流《きゅうしゅうりゅう》、扶桑流《ふそうりゅう》、秀郷流《ひでさとりゅう》

和歌山県《わかやま》
よび名：根来衆《ねごろしゅう》、雑賀衆《さいかしゅう》、薬込役《くすりごめやく》
流派《りゅうは》：名取流《なとりりゅう》、名映流《めいえいりゅう》、根来電光流《ねごろでんこうりゅう》、九鬼神流《くきがみりゅう》

山梨県《やまなし》
よび名：三ツ者《みつもの》、透波《すっぱ》
流派《りゅうは》：甲州流《こうしゅうりゅう》、武田流《たけだりゅう》、甲陽流《こうようりゅう》、天幻流《てんげんりゅう》、忍甲流《にんこうりゅう》

静岡県《しずおか》
流派《りゅうは》：無極量情流《むきょくりょうじょうりゅう》、秋葉流《あきばりゅう》

三重県《みえ》
よび名：伊賀者《いがもの》、伊賀忍《いがにん》
流派《りゅうは》：伊賀流《いがりゅう》（服部流《はっとりりゅう》、藤林流《ふじばやしりゅう》、柘植流《つげりゅう》ほか）

栃木県《とちぎ》
流派《りゅうは》：福智流《ふくちりゅう》、松元流《まつもとりゅう》

群馬県《ぐんま》
よび名：ワッパ、シッパ
流派《りゅうは》：上泉流《じょうせんりゅう》

茨城県《いばらき》
流派《りゅうは》：神道流《しんとうりゅう》、松田流《まつだりゅう》、卜伝流《ぼくでんりゅう》

東京都《とうきょう》
よび名：隠密《おんみつ》、甲賀百人組《こうかひゃくにんぐみ》
流派《りゅうは》：忠孝心貫流《ただたかしんぬきりゅう》、北条流《ほうじょうりゅう》、山鹿流《やまじかりゅう》

神奈川県《かながわ》
よび名：風魔党《ふうまとう》、草《くさ》、乱破《らっぱ》、奸《かまり》
流派《りゅうは》：北条流《ほうじょうりゅう》

※北海道《ほっかいどう》、埼玉県《さいたま》、千葉県《ちば》、香川県《かがわ》、愛媛県《えひめ》、大分県《おおいた》、宮崎県《みやざき》、沖縄県《おきなわ》の忍者《にんじゃ》のよび名と流派《りゅうは》は不明です。　※よび名や流派《りゅうは》が不明な地域《ちいき》は項目《こうもく》を削除《さくじょ》しています。

忍者《にんじゃ》の任務《にんむ》

戦国武将《ぶしょう》や兵士たちが合戦ではなばなしく活躍《かつやく》して武功《ぶこう》をきそっていた一方で、忍者《にんじゃ》たちは、情報収集《じょうほうしゅうしゅう》や謀略《ぼうりゃく》といった機密性《きみっせい》の高い水面下の仕事をうけもっていました。

任務《にんむ》1 諜報《ちょうほう》・防諜《ぼうちょう》

さまざまな情報《じょうほう》をひそかにさぐりあつめることを、諜報《ちょうほう》という。敵国《てきこく》に潜入《せんにゅう》して、兵力や食料の備蓄量《びちくりょう》、家臣たちの忠誠度《ちゅうせいど》、城《しろ》の設計図《せっけいず》などを収集《しゅうしゅう》し、気づかれないように自国へともちかえった。防諜《ぼうちょう》とは、自国の機密情報《きみつじょうほう》が敵《てき》にぬすまれないように守ること。潜入《せんにゅう》してきた敵《てき》の忍者《にんじゃ》を始末したり、にせの情報《じょうほう》をつかませたりした。

任務《にんむ》2 謀略《ぼうりゃく》

情報《じょうほう》をたくみに操作《そうさ》して、敵《てき》を内部から弱らせることを、謀略《ぼうりゃく》という。ひそかに敵将《てきしょう》に接触《せっしょく》して寝返《ねがえ》らせたり、裏切《うらぎ》り者《もの》がいるとうわさをながして敵《てき》の結束を弱めたり、敵国《てきこく》の不満や不安をあおって内乱《ないらん》をおこさせたりした。

任務《にんむ》3 破壊《はかい》工作・暗殺・戦闘《せんとう》

破壊《はかい》工作では、城《しろ》などの建物に放火したり、川を氾《はん》濫《らん》させて進路をつぶしたりした。暗殺は、敵《てき》の君主や武将《ぶしょう》などの命をねらうが、その際《さい》、殺しの痕跡《こんせき》をのこさないことが重要だった。戦闘《せんとう》は、正式な合戦ではなく、おもに奇襲《きしゅう》や夜戦などのゲリラ戦をおこなう。火薬に精通《せいつう》する甲賀者《こうかもの》などは、鉄砲隊《てっぽうたい》を組織《そしき》して参戦した。

「忍者説《にんじゃせつ》」をもつ歴史人物

歴史上の有名人には、「じつは忍者《にんじゃ》だったのでは？」とささやかれる人物もいます。その理由は、人間ばなれした身体能力《のうりょく》や、驚異的《きょういてき》な実績《じっせき》などがあげられます。

源《みなもとの》義経《よしつね》

平安《へいあん》時代末期の武将《ぶしょう》。鎌倉幕府《かまくらばくふ》をひらいた源頼朝《みなもとのよりとも》の弟。幼名《ようめい》は牛《うし》若丸《わかまる》。源平《げんぺい》の合戦《かっせん》で大活躍《だいかつやく》したが、それを気にいらなかった頼朝《よりとも》から命をねらわれ、東北《とうほく》地方までにげたのちに自害した。

源義経《みなもとのよしつね》の忍者説《にんじゃせつ》は、幼少期《ようしょうき》の逸《いつ》話《わ》と、源平《げんぺい》の合戦《かっせん》での活躍《かつやく》に論拠《ろんきょ》をもつ。「牛若丸《うしわかまる》が天狗《てんぐ》から武芸《ぶげい》をならった」という話があるが、これは忍術《にんじゅつ》の修行《しゅぎょう》だったとされる。

そして、源平《げんぺい》の合戦《かっせん》において、一《いち》の谷《たに》の戦《たたか》いでは断崖絶壁《だんがいぜっぺき》を騎馬《きば》でかけおり、屋島《やしま》の戦《たたか》いでは嵐《あらし》のなかで敵《てき》の背後《はいご》をつく奇襲《きしゅう》を成功させ、壇ノ浦《だんのうら》の戦《たたか》いでは海上の船から船へととびうつる「八艘飛《はっそうと》び」をおこなうなど、忍者《にんじゃ》ならではといえる行動や発想を実践《じっせん》している。

福井県《ふくいけん》には、源義経《みなもとのよしつね》を開祖《かいそ》とする「義経流《ぎけいりゅう》」という忍者《にんじゃ》の流派《りゅうは》が存在《そんざい》する。

山本《やまもと》勘助《かんすけ》

武田信玄《たけだしんげん》に仕《つか》えた、戦国時代の武将《ぶしょう》。合戦の作戦をたてる軍師《ぐんし》をつとめ、武田軍《たけだぐん》を連戦連勝にみちびいた。

山本勘助《やまもとかんすけ》は、全国を旅して兵法《へいほう》や城《しろ》づくりをまなび、四十歳《さい》ごろに武田家《たけだけ》に仕官したとされるが、くわしい経歴《けいれき》は不明だという。また、軍師《ぐんし》となってからは、敵《てき》の情報《じょうほう》をさぐるときに忍者《にんじゃ》を多用したともいわれるが、こちらも不明な点が多い。あまりにも謎《なぞ》が多いために忍者説《にんじゃせつ》がささやかれ、「そもそも実在《じつざい》しなかった」とまでいわれる。

千利休《せんのりきゅう》

安土《あづち》・桃山《ももやま》時代の茶人、商人。織田信長《おだのぶなが》と豊臣秀吉《とよとみひでよし》に仕《つか》えて、全国の名茶器をあつめて商売をしつつ、茶道のひとつ「わび茶《ちゃ》」を完成させた。

千利休《せんのりきゅう》は、秀吉《ひでよし》の怒《いか》りをかい、切腹《せっぷく》を命じられた。なぜ秀吉《ひでよし》がそれほど激怒《げきど》したのかは諸説《しょせつ》あるが、一説には、豊臣家《とよとみけ》の内密《ないみつ》な情報《じょうほう》を、徳川家康《とくがわいえやす》に知らせていたことが発覚したためといわれる。この説から、利《り》休《きゅう》が、徳川家《とくがわけ》に仕《つか》える忍者《にんじゃ》だったともされる。

また、利休《りきゅう》は、鉄砲《てっぽう》などを売買する武器《ぶき》商人でもあった。さまざまな一面をあわせもつ利休《りきゅう》が、忍者《にんじゃ》の心得《こころえ》をもっていたとしても不思議ではない。

松尾芭蕉《まつおばしょう》

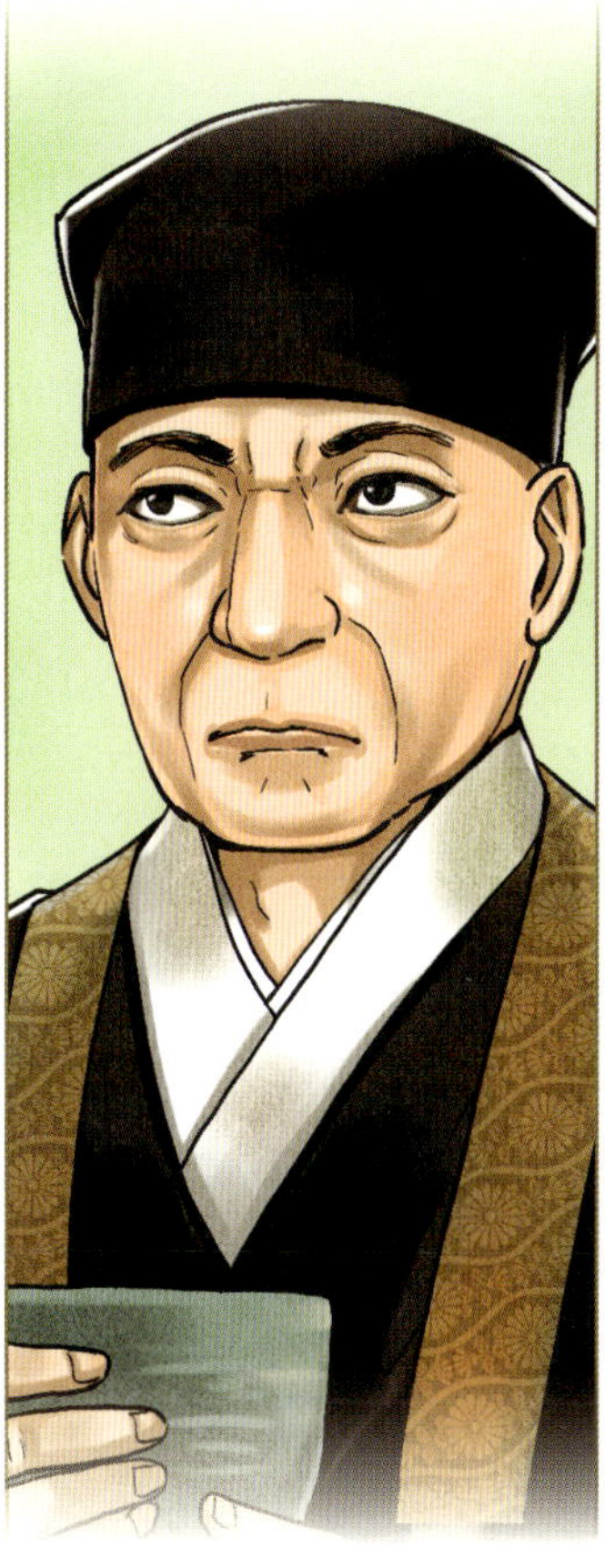

江戸《えど》時代前期の俳人《はいじん》。全国を旅して数々《かずかず》の名句《めいく》を詠《よ》み、紀行文『奥《おく》の細道《ほそみち》』などの名作をのこした。

松尾芭蕉《まつおばしょう》の忍者説《にんじゃせつ》の論拠《ろんきょ》は、おもに、『奥《おく》の細道《ほそみち》』にもとめられる。この作品は、深川《ふかがわ》（東京都《とうきょうと》）を出発して東北《とうほく》地方をめぐり、日《に》本海《ほんかい》を南下して大垣《おおがき》（岐阜《ぎふ》県）までにいたる旅のようすをしるしたもの。芭蕉《ばしょう》は、この約二千四百キロメートルにもおよぶ行程《こうてい》を、俳《はい》句《く》をよみつつ各地で滞在《たいざい》しながら、わずか百五十日ほどで踏破《とうは》している。その脚力《きゃくりょく》は驚異的《きょういてき》だが、「松《まつ》島《しま》や　ああ松島《まつしま》や　松島《まつしま》や」という名句《めいく》を詠《よ》んだ芭蕉《ばしょう》は、じつは松島《まつしま》にはおとずれておらず、別の場所を見物していたという記録ものこっている。

これらのことから、芭蕉《ばしょう》は江戸《えど》幕府《ばくふ》の忍者《にんじゃ》で、俳人《はいじん》としてふるまいながら仙台藩《せんだいはん》をひそかにさぐっていたのだといわれる。なお、芭《ば》蕉《しょう》の出生地は伊賀《いが》である。

忍者《にんじゃ》が活躍《かつやく》する創作《そうさく》物語

戦国時代では影《かげ》の存在《そんざい》だった忍者《にんじゃ》は、江戸《えど》時代以降《いこう》、講談《こうだん》や歌舞伎《かぶき》などで超人的《ちょうじんてき》な術《じゅつ》をつかう登場人物として創作《そうさく》され、「猿飛佐助《さるとびさすけ》」や「児雷也《じらいや》」といった架空《かくう》の忍者《にんじゃ》が熱烈《ねつれつ》な人気をよびました。

『真田十勇士《さなだじゅうゆうし》』

戦国武将《ぶしょう》の真田信繁《さなだのぶしげ》をモデルにした、「真田幸村《さなだゆきむら》」という主人公が活躍《かつやく》する物語。幸村《ゆきむら》のもとに、忍者《にんじゃ》の猿飛佐助《さるとびさすけ》や霧隠才蔵《きりがくれさいぞう》など十人の屈強《くっきょう》な戦士がつどい、強敵《きょうてき》の徳川家康《とくがわいえやす》にたちむかう。

史実での真田信繁《さなだのぶしげ》は、真田十勇士《さなだじゅうゆうし》の真田幸村《さなだゆきむら》の物語とはことなる。信濃《しなの》の大名、真田昌幸《さなだまさゆき》の次男にうまれた信繁《のぶしげ》は、青年期に豊臣秀吉《とよとみひでよし》の家臣となって、秀吉《ひでよし》の警護役《けいごやく》をつとめた。秀吉《ひでよし》の死後、豊臣《とよとみ》家臣と徳川家康《とくがわいえやす》が激突《げきとつ》した関ヶ原《せきがはら》の戦《たたか》いでは、信繁《のぶしげ》は父の昌幸《まさゆき》とともに豊臣方《とよとみがた》に味方し、長男の信之《のぶゆき》は徳川方《とくがわがた》についた。これは、どちらが勝っても真田家《さなだけ》が存続《そんぞく》できるようにした、昌幸《まさゆき》の策略《さくりゃく》だった。

関ヶ原《せきがはら》の戦《たたか》いで徳川軍《とくがわぐん》が勝利すると、昌幸《まさゆき》と信繁《のぶしげ》は、紀伊《きい》の九度山《くどやま》にながされた。きびしい幽閉《ゆうへい》生活をしいられるなか、父の昌幸《まさゆき》が死亡《しぼう》するも、信繁《のぶしげ》は復帰《ふっき》の機会をまちつづける。そして、徳川家康《とくがわいえやす》が豊臣家《とよとみけ》の滅亡《めつぼう》をねらって大坂城《おおさかじょう》の攻撃《こうげき》をきめたとき、信繁《のぶしげ》は、九度山《くどやま》を脱出《だっしゅつ》して大坂城《おおさかじょう》にはいり、豊臣軍《とよとみぐん》に合流。大将《たいしょう》のひとりに任命《にんめい》された信繁《のぶしげ》は、大坂冬《おおさかふゆ》の陣《じん》でめざまし

『児雷也豪傑譚《じらいやごうけつものがたり》』

巨大《きょだい》なガマガエルをあやつる妖術《ようじゅつ》つかいの忍者《にんじゃ》「児雷也《じらいや》」が活躍《かつやく》する、架空《かくう》の物語。大ナメクジの妖術《ようじゅつ》をつかう美女の綱手《つなで》と、大蛇《だいじゃ》の妖術《ようじゅつ》をあやつる宿敵《しゅくてき》の大蛇丸《おろちまる》が登場。「蛙《かえる》をひとのみにする蛇《へび》、蛇《へび》の毒がきかないナメクジ、ナメクジを食べる蛙《かえる》」という「三すくみ」の設定《せってい》が人気をよび、大流行した。

児雷也《じらいや》の物語はさまざまな作家によってえがかれ、主人公の表記も、自来也《じらいや》、自雷也《じらいや》、我来也《がらいや》などがある。もとは、我来也《がらいや》という盗賊《とうぞく》が登場する中国《ちゅうごく》の説話を題材にして、江戸《えど》時代後期に『自来也説話《じらいやものがたり》』という本が出版《しゅっぱん》されたことにはじまる。『自来也説話《じらいやものがたり》』は、主人公の尾形周馬《おがたしゅうま》が、主君を殺した悪人を成敗《せいばい》するため、仙人《せんにん》に弟子いりして蝦蟇《がま》の妖術《ようじゅつ》を身につけ、自来也《じらいや》と名のって復讐《ふくしゅう》にいどむという内容《ないよう》だ。『自来也説話《じらいやものがたり》』が庶民《しょみん》に流行した約三十年後に、それをアレンジした『児雷也豪傑譚《じらいやごうけつものがたり》』の刊行《かんこう》がはじまる。

い活躍《かつやく》をおさめて、徳川軍《とくがわぐん》の撃退《げきたい》に成功した。その後、徳川軍《とくがわぐん》が再攻撃《さいこうげき》した大坂夏《おおさかなつ》の陣《じん》で信繁《のぶしげ》は死亡《しぼう》したが、主君への忠義《ちゅうぎ》にあつく、勇猛果敢《ゆうもうかかん》なたたかいぶりから、敵味方《てきみかた》の諸将《しょしょう》に「日本《ひのもと》一《いち》の兵《つわもの》」とよばれて賞賛《しょうさん》された。

このあまりにもドラマチックな真田家《さなだけ》の史実は、江戸《えど》時代初期に軍記物語の『難波戦記《なんばせんき》』や講談《こうだん》の『真田三代記《さなださんだいき》』でえがかれ、庶民《しょみん》を熱狂《ねっきょう》させた。「幸村《ゆきむら》」という名前は、『難波戦記《なんばせんき》』でつかわれて定着したものだという。その後、『真田三代記《さなださんだいき》』をもとにして、猿飛佐助《さるとびさすけ》や霧隠才蔵《きりがくれさいぞう》などの架空《かくう》人物が登場するなどのアレンジがくわえられ、それらも人気をよぶ。そして、明《めい》治《じ》時代から大正《たいしょう》時代にかけて立川文庫《たつかわぶんこ》というシリーズ本で書籍《しょせき》化《か》され、爆発的《ばくはつてき》なブームとなった。「真田十勇士《さなだじゅうゆうし》」という表現《ひょうげん》は、立川文庫《たつかわぶんこ》の作品でつかわれたものだ。

こちらの主人公の本名も尾形周馬《おがたしゅうま》だが、滅亡《めつぼう》した尾《お》形《がた》家《け》を領主《りょうしゅ》として復興《ふっこう》させることを目的としていて、別名も児雷也《じらいや》にかわっている。そして、ヒロインの綱手《つなで》や、何度も行く手をはばむ大蛇丸《おろちまる》など、魅力的《みりょくてき》な登場人物がくわわって大評判《だいひょうばん》となり、歌舞伎《かぶき》や浄《じょう》瑠璃《るり》などでもえんじられた。その後、作家を交代しつつ長年にわたって続編《ぞくへん》が出版《しゅっぱん》されたが、明治《めいじ》時代になってとだえて、現在《げんざい》も未完となっている。

架空忍者《かくうにんじゃ》

猿《さる》飛《とび》佐《さ》助《すけ》

出《しゅっ》典《てん》

立川文庫《たつかわぶんこ》『猿飛佐助《さるとびさすけ》』ほか

真田《さなだ》十勇士《じゅうゆうし》の筆頭《ひっとう》
痛快無比《つうかいむひ》な英雄忍者《えいゆうにんじゃ》

真田十勇士《さなだじゅうゆうし》の物語に登場する、架空《かくう》の甲賀流忍者《こうかりゅうにんじゃ》。真田幸村《さなだゆきむら》の家来《けらい》になって、関ヶ原《せきがはら》の戦《たたか》いや大坂《おおさか》の役《えき》で大活躍《だいかつやく》する。

猿飛佐助《さるとびさすけ》は、少年時代に、甲賀流忍術《こうかりゅうにんじゅつ》をきわめた戸沢白雲斎《とざわはくうんさい》に才能《さいのう》をみいだされ、きびしい修行《しゅぎょう》をつんで忍術《にんじゅつ》の達人になった。佐助《さすけ》は、りっぱな若大将《わかだいしょう》と名高い真田幸村《さなだゆきむら》を見物しにいき、真田《さなだ》家臣の豪傑《ごうけつ》たちを、得意の忍術《にんじゅつ》で手玉にとる。それを幸村《ゆきむら》が気にいり、佐助《さすけ》は幸村《ゆきむら》の家臣にむかえいれられた。その後、伊賀忍者《いがにんじゃ》の霧隠才蔵《きりがくれさいぞう》なども仲間にくわわり、幸村《ゆきむら》の家来《けらい》には、佐助《さすけ》を筆頭《ひっとう》にした「真田十勇士《さなだじゅうゆうし》」とよばれる十人がそろった。

天下とりをねらう徳川家康《とくがわいえやす》と、その反抗勢力《はんこうせいりょく》が、関ヶ原《せきがはら》の戦《たたか》いでぶつかった。真田家《さなだけ》は反抗勢力《はんこうせいりょく》に加勢《かせい》し、佐助《さすけ》たちも名だたる敵将《てきしょう》とわたりあって奮戦《ふんせん》するが、合戦は徳川軍《とくがわぐん》が圧倒的《あっとうてき》な勝利をおさめた。

徳川家康《とくがわいえやす》は、豊臣秀吉《とよとみひでよし》の息子、豊臣秀頼《とよとみひでより》がいる大坂城《おおさかじょう》の総攻撃《そうこうげき》をはじめた。この大坂《おおさか》の役《えき》で、幸村《ゆきむら》は豊臣軍《とよとみぐん》の総大将《そうだいしょう》として参戦し、佐助《さすけ》も獅子奮迅《ししふんじん》にたたかう。しかし、豊臣軍《とよとみぐん》の敗北が決定的になると、佐助《さすけ》は、秀頼《ひでより》と幸村《ゆきむら》をつれて薩摩《さつま》におちのび、ふたりの命をすくった。

しのび とらのまき

スーパーヒーローの佐助《さすけ》 モデルは実在《じつざい》した忍者《にんじゃ》とも

『真田十勇士《さなだじゅうゆうし》』の物語は、史実をベースにしてはいるが、あくまでも娯楽的《ごらくてき》なフィクションだ。史実では、真田幸村《さなだゆきむら》のモデルの真田信繁《さなだのぶしげ》は大坂夏《おおさかなつ》の陣《じん》で死亡《しぼう》し、佐助《さすけ》や才蔵《さいぞう》などの十勇士《じゅうゆうし》も実在《じつざい》しない。

ただし、猿飛佐助《さるとびさすけ》は、実在《じつざい》した忍者《にんじゃ》をモデルにしているとする説もある。甲賀《こうか》忍者《にんじゃ》の三雲賢春《みくもかたはる》、伊賀忍者《いがにんじゃ》の下柘植《しもつげ》の木猿《きざる》、真田忍者《さなだにんじゃ》の横谷左近《よこやさこん》などが、その候補《こうほ》にあげられる。三雲《みくも》の通称《つうしょう》は佐助《さすけ》で、木猿《きざる》の本名も上月佐助《こうづきさすけ》なのだという。

架空忍者《かくうにんじゃ》

霧《きり》隠《がくれ》才《さい》蔵《ぞう》

出《しゅっ》典《てん》

立川文庫《たつかわぶんこ》『霧隠才蔵《きりがくれさいぞう》』ほか

猿飛《さるとび》佐助《さすけ》と実力は互角《ごかく》
ニヒルでクールな伊賀《いが》忍者《にんじゃ》

　真田十勇士《さなだじゅうゆうし》のひとりで、伊賀《いが》流忍術《りゅうにんじゅつ》の達人。猿飛佐助《さるとびさすけ》はライバルで、仲間でもある。性格《せいかく》は、あかるく元気な佐助《さすけ》とは対照的に、冷静で寡黙《かもく》。架空《かくう》の人物だが、実在《じつざい》した忍者《にんじゃ》の出浦盛清《いでうらもりきよ》がモデルともいわれる。

　霧隠才蔵《きりがくれさいぞう》は、戦国大名の浅井《あざい》長政《ながまさ》に仕《つか》える武将《ぶしょう》の子にうまれた。しかし、浅井家《あざいけ》の滅亡《めつぼう》と同時に父も戦死し、伊賀《いが》へとにげのびた才蔵《さいぞう》は、忍者《にんじゃ》の頭領《とうりょう》の百地三太夫《ももちさんだゆう》に弟子いりして修行《しゅぎょう》をつみ、忍術《にんじゅつ》をきわめた。

　才蔵《さいぞう》は、滅亡《めつぼう》した浅井家《あざいけ》を再《さい》興《こう》させるために、山賊《さんぞく》となって通行人をおそい、軍資金《ぐんしきん》をあつめていた。そこへ、真田幸村《さなだゆきむら》の一行《いっこう》がとおりがかり、佐助《さすけ》から忍術《にんじゅつ》勝負をいどまれる。はげしく術《じゅつ》をきそったすえに敗北した才蔵《さいぞう》は、心をいれかえて幸村《ゆきむら》の家来《けらい》になった。

　才蔵《さいぞう》は、佐助《さすけ》とならんで、真《さな》田十勇士《だじゅうゆうし》を代表する戦士になった。そして、最後の決戦となる大坂《おおさか》の役《えき》で、敵本陣《てきほんじん》に潜入《せんにゅう》して大将《たいしょう》の徳川家康《とくがわいえやす》の暗殺をこころみたが、あとすこしというところで失敗してしまう。それでも才蔵《さいぞう》は、敵兵《てきへい》にかこまれた大坂《おおさか》城《じょう》から、味方の総大将《そうだいしょう》の豊臣秀《とよとみひで》頼《より》を救出することに成功し、幸《ゆき》村《むら》にたくして薩摩《さつま》へとにがした。

しのびとらのまき

真田幸村《さなだゆきむら》のもとにつどった個性的《こせいてき》な十人の勇士《ゆうし》

　真田幸村《さなだゆきむら》の家来《けらい》である十勇士《じゅうゆうし》は、猿飛《さるとび》佐助《さすけ》と霧隠才蔵《きりがくれさいぞう》をふくめた、個性《こせい》あふれる十人の面々《めんめん》で構成《こうせい》される。

　海野六郎《うんのろくろう》は、幸村《ゆきむら》の側近をつとめる武《ぶ》士《し》。穴山小助《あなやまこすけ》は弓術《きゅうじゅつ》の達人で、筧十蔵《かけいじゅうぞう》は百発百中の射撃術《しゃげきじゅつ》をもつ。

　三好清海入道《みよしせいかいにゅうどう》と三好伊三入道《みよしいさにゅうどう》の兄弟は怪力《かいりき》で棒術《ぼうじゅつ》をあやつり、甲賀忍者《こうかにんじゃ》の望月《もちづき》六郎《ろくろう》は火術《かじゅつ》を得意とする。由利鎌之助《ゆりかまのすけ》は槍《やり》と鎖鎌《くさりがま》の達人で、根津甚八《ねづじんぱち》はもと海賊《かいぞく》の荒《あら》くれ者《もの》だ。

架空忍者《かくうにんじゃ》

児《じ》雷《らい》也《や》

出《しゅつ》典《てん》

『児《じ》雷《らい》也《や》豪《ごう》傑《けつ》譚《ものがたり》』

驚異《きょうい》の幻術《げんじゅつ》で悪を討《う》つ 大蝦蟇《おおがま》にのった正義《せいぎ》の忍者《にんじゃ》

江戸《えど》時代後期から明治《めいじ》時代にかけて創作《そうさく》された『児雷也豪傑《じらいやごうけつ》譚《ものがたり》』の主人公。蝦蟇《がま》の妖術《ようじゅつ》をあやつり、悪人たちを成敗《せいばい》する。

児雷也《じらいや》は、本名を尾形周馬《おがたしゅうま》といい、小国の大名の尾形《おがた》家にうまれた。少年期に、隣国《りんごく》の陰謀《いんぼう》で尾形《おがた》家が滅亡《めつぼう》してしまい、妙高山《みょうこうさん》の山奥《やまおく》へとのがれた周馬《しゅうま》は、世間から身をかくした生活をはじめる。そのうちに、山にすむ仙人《せんにん》の仙素道人《せんそどうじん》とであって秘伝《ひでん》書《しょ》をさずかり、巨大《きょだい》なガマガエルをあやつる蝦蟇《がま》の妖術《ようじゅつ》を身につけた。周馬《しゅうま》は、尾形《おがた》家を復興《ふっこう》させるため、名を児雷也《じらいや》にかえて、諸国《しょこく》をめぐる旅をはじめる。

児雷也《じらいや》が妖術《ようじゅつ》で出現《しゅつげん》させる大《おお》蝦蟇《がま》は、火をふき、毒をはき、大きな口で人をまるごとのみこむことができる。さらに、むくむくと巨大化《きょだいか》して、人や家をふみつぶすことも可能《かのう》だ。児雷也《じらいや》は、この妖術《ようじゅつ》を駆使《くし》して、悪事をはたらく盗賊《とうぞく》や武士《ぶし》や大名を、つぎつぎと成敗《せいばい》していった。

児雷也《じらいや》の行く手に、大蛇《だいじゃ》の妖《よう》術《じゅつ》をつかう宿敵《しゅくてき》の大蛇丸《おろちまる》が、幾《いく》度《ど》となくたちはだかる。一方で、蛞蝓《なめくじ》の妖術《ようじゅつ》をつかう美女の綱手《つなで》が、心強い仲間にくわわった。児雷也《じらいや》の旅は、大蛇丸《おろちまる》に勝利して悪人たちを撲滅《ぼくめつ》し、尾形《おがた》家を復興《ふっこう》するまで、この先もつづく。

しのびとらのまき

『児雷也豪傑譚《じらいやごうけつものがたり》』は未完 『自来也説話《じらいやものがたり》』は悲劇《ひげき》で完結

『児雷也豪傑譚《じらいやごうけつものがたり》』は、未完である。児雷《じらい》也《や》と綱手《つなで》が、大蛇丸《おろちまる》が発射《はっしゃ》した毒液《どくえき》をあびて失神《しっしん》し、弟子に助けられた場面を最後に、執筆《しっぴつ》がとまっている。『児雷也豪傑譚《じらいやごうけつものがたり》』の原作である『自来也《じらいや》説話《ものがたり》』は、主人公の自来也《じらいや》が、主君を殺した敵《てき》に復讐《ふくしゅう》するという物語だ。綱手《つなで》と大蛇丸《おろちまる》は登場せず、最後には、敵《てき》を目前にしながらも復讐《ふくしゅう》をはたせなかった自来《じらい》也《や》が、自刃《じじん》して「自来石《じらいせき》」という石になったという悲劇《ひげき》で完結する。

架空忍者《かくうにんじゃ》

綱手《つなで》

出《しゅつ》典《てん》『児雷也豪傑譚《じらいやごうけつものがたり》』

蛞蝓《なめくじ》の妖術《ようじゅつ》をあやつり児雷也《じらいや》に味方する美女

『児雷也豪傑譚《じらいやごうけつものがたり》』の登場人物で、主人公の児雷也《じらいや》に味方する、智《ち》と勇《ゆう》と美《び》をかねそなえたヒロイン。蛞蝓《なめくじ》の妖術《ようじゅつ》をあやつる。

綱手《つなで》は、児雷也《じらいや》こと尾形周馬《おがたしゅうま》の家系《かけい》と縁《えん》のふかい名家の姫《ひめ》で、小さいころは綱手姫《つなでひめ》とよばれていた。しかし、両親と死にわかれて身よりをなくし、さまようちに越中立山《えっちゅうたてやま》の地獄谷《じごくだに》へとはいってしまう。そこにあらわれた蛞蝓仙人《かつゆせんにん》という妖術《ようじゅつ》の達人にたすけられた綱手《つなで》は、仙人《せんにん》から武芸《ぶげい》をまなび、ついには、蛞蝓《なめくじ》の妖術《ようじゅつ》をさずかる。

蛞蝓《なめくじ》の妖術《ようじゅつ》とは、巨大《きょだい》なナメクジを出現《しゅつげん》させて敵《てき》にのしかかり、溶解液《ようかいえき》でとかすという術《じゅつ》だ。ナメクジの背中《せなか》にのって海をわたることもできる。また、無数のナメクジをよびだして、屋敷《やしき》や軍隊をまるごととかすことも可能《かのう》だ。さらに、妖術《ようじゅつ》を身につけた綱手《つなで》には、岩をもなげとばす怪力《かいりき》もそなわっている。

綱手《つなで》は、仙人《せんにん》から「児雷也《じらいや》という正義《せいぎ》の青年を助けなさい」といわれて、旅にでる。そして、大蛇丸《おろちまる》とたたかっているさなかの児雷也《じらいや》をみつけて、蛞蝓《なめくじ》の妖《よう》術《じゅつ》で大蛇丸《おろちまる》を退散《たいさん》させた。その後、児雷也《じらいや》から結婚《けっこん》をもうしこまれて妻《つま》となり、ともに悪人を撲滅《ぼくめつ》する旅をつづけている。

しのびとらのまき

歌舞伎《かぶき》の演目《えんもく》『児雷也豪傑譚話《じらいやごうけつものがたり》』

歌舞伎《かぶき》の『児雷也豪傑譚《じらいやごうけつものがたり》』は、原作の『児雷也豪傑譚《じらいやごうけつものがたり》』にアレンジをくわえたもので、現代《げんだい》でも上演《じょうえん》される。

大蛇丸《おろちまる》に家族を殺された児雷也《じらいや》と綱手《つなで》は、仙人《せんにん》にたすけられて蝦蟇《がま》と蛞蝓《なめくじ》の妖《よう》術《じゅつ》をさずかり、大蛇丸《おろちまる》のゆくえをおう。一度は大蛇丸《おろちまる》をみつけるも、児雷也《じらいや》がひとりでいどんで敗北。瀕死《ひんし》の児雷也《じらいや》は、姉の雛衣姫《ひなきぬひめ》から生き血をもらって復活《ふっかつ》し、今度は綱手《つなで》と一緒《いっしょ》に大蛇丸《おろちまる》と再戦《さいせん》して、大激闘《だいげきとう》のすえに勝利する。

架空忍者《かくうにんじゃ》

大蛇丸《おろちまる》

出《しゅっ》典《てん》

『児《じ》雷《らい》也《や》豪《ごう》傑《けつ》譚《ものがたり》』

児雷也《じらいや》をつけねらう宿敵《しゅくてき》
大蛇《だいじゃ》をあやつる悪の忍者《にんじゃ》

『児雷也豪傑譚《じらいやごうけつものがたり》』の登場人物で、主人公の児雷也《じらいや》と敵対《てきたい》する悪人。大蛇《だいじゃ》の妖術《ようじゅつ》をつかう。

大蛇丸《おろちまる》は、越後《えちご》の青柳池《あおやぎいけ》にすむ大蛇《だいじゃ》からうまれたとも、その大蛇《だいじゃ》の精霊《せいれい》ともいわれる。彼《かれ》があやつる妖術《ようじゅつ》は、巨大《きょだい》なヘビを出現《しゅつげん》させる。そのヘビは、毒をふきだし、炎《ほのお》をはいて、あらゆるものを喰《く》らいつくす。大蛇丸《おろちまる》は、この術《じゅつ》をつかって盗賊《とうぞく》になり、善良《ぜんりょう》な人々《ひとびと》を殺して金品をまきあげるなど、極悪非道《ごくあくひどう》のかぎりをつくした。そのうちに、諸国《しょこく》の悪党《あくとう》たちから、悪事の協力をたのまれるようになる。

大蛇丸《おろちまる》は、悪党《あくとう》からの依頼《いらい》をうけて、児雷也《じらいや》の抹殺《まっさつ》にのりだした。その決戦で、児雷也《じらいや》がつかう蝦蟇《がま》は、大蛇丸《おろちまる》の大蛇《だいじゃ》を前に、身うごきがとれなくなる。圧倒的優位《あっとうてきゆうい》にたつ大蛇丸《おろちまる》が、児《じ》雷也《らいや》にとどめをさそうとしたそのとき、蛞蝓《なめくじ》の妖術《ようじゅつ》をつかう綱《つな》手《で》があらわれる。蛞蝓《なめくじ》が苦手な大蛇《だいじゃ》は、とたんに身うごきできなくなり、しばらく三者のにらみあいがつづいたのち、大蛇丸《おろちまる》はやむなく退散《たいさん》した。

その後、大蛇丸《おろちまる》は、児雷也《じらいや》をにくむ悪の勢力《せいりょく》に加担《かたん》しては、何度も児雷也《じらいや》に対決をいどんでいく。その決着は、まだついていない。

しのびとらのまき

「蝦蟇《がま》」と「大蛇《だいじゃ》」と「蛞蝓《なめくじ》」三すくみの設定《せってい》がヒット

三すくみとは、じゃんけんのグー・チョキ・パーのように、得意と苦手が交差した三者が同時にそろうと、決着がつかないことをさす。『児雷也豪傑譚《じらいやごうけつものがたり》』は、蝦《が》蟇《ま》と大蛇《だいじゃ》と蛞蝓《なめくじ》による三すくみを物語にとりいれたことで決戦シーンがもりあがり、熱狂的《ねっきょうてき》なブームをよんだ。

とはいえ、児雷也《じらいや》と綱手《つなで》は味方同士《どうし》で、対決することはない。あくまでも、児雷《じらい》也《や》が大蛇丸《おろちまる》に負けそうなときに、綱手《つなで》があらわれて窮地《きゅうち》をすくうというものだ。

現代《げんだい》のおもな忍者《にんじゃ》作品

忍者《にんじゃ》を題材にあつかった、昭和以降《しょうわいこう》のおもなヒット作を、時代順に紹介《しょうかい》します。小説や漫画《まんが》やアニメなど、さまざまな媒体《ばいたい》で忍者《にんじゃ》を主人公にした作品がつくられ、今も多くの人から愛されています。

『梟《ふくろう》の城《しろ》』

・司馬遼太郎《しばりょうたろう》・小説（1958年〜）ほか

伊賀忍者《いがにんじゃ》の主人公、葛籠重蔵《つづらじゅうぞう》が、太閤《たいこう》の豊臣秀吉《とよとみひでよし》に暗殺をしかける物語。

『甲賀忍法帖《こうがにんぽうちょう》』

・山田風太郎《やまだふうたろう》・小説（1958年〜）

敵対《てきたい》する甲賀忍者《こうかにんじゃ》と伊賀忍者《いがにんじゃ》が、命がけの忍術《にんじゅつ》合戦をする物語。

『サスケ』

・白土三平《しらとさんぺい》・漫画《まんが》（1958年〜）アニメ（1968年〜）

甲賀流忍者《こうかりゅうにんじゃ》の少年である主人公サスケが、分身《ぶんしん》の術《じゅつ》などを駆使《くし》して活躍《かつやく》する物語。

『伊賀《いが》の影丸《かげまる》』

・横山光輝《よこやまみつてる》・漫画《まんが》（1961年〜）人形劇《にんぎょうげき》（1963年〜）ほか

幕府《ばくふ》の隠密《おんみつ》で伊賀忍者《いがにんじゃ》の赤影《あかかげ》が、徳川家《とくがわけ》の敵対勢力《てきたいせいりょく》とたたかう物語。

『風神《ふうじん》の門《もん》』

・司馬遼太郎《しばりょうたろう》・小説（1961年〜）

主人公の伊賀忍者《いがにんじゃ》、霧隠才蔵《きりがくれさいぞう》が、甲賀《こうか》や風魔《ふうま》とたたかう戦国期の物語。

『カムイ伝《でん》』

・白土三平《しらとさんぺい》・漫画《まんが》（1964年〜）

最下層《さいかそう》の身分にうまれた主人公カムイが、忍者《にんじゃ》になって暗躍《あんやく》する物語。

『忍者《にんじゃ》ハットリくん』

・藤子不二雄Ⓐ《ふじこふじおエー》・漫画《まんが》（1964年〜）アニメ（1981年〜）

主人公の伊賀忍者《いがにんじゃ》、ハットリカンゾウが、小学生のケン一の家に居候《いそうろう》する物語。

『仮面《かめん》の忍者《にんじゃ》 赤影《あかかげ》』

・横山光輝《よこやまみつてる》（原作）・特撮《とくさつ》テレビドラマ（1967年〜）ほか

主人公の忍者《にんじゃ》である赤影《あかかげ》が、仲間の青影《あおかげ》と白影《しろかげ》とともに、悪の組織《そしき》とたたかう物語。

『忍《にん》たま乱太郎《らんたろう》』

・尼子騒兵衛《あまこそうべえ》（原作）・アニメ（1993年〜）ほか

忍者《にんじゃ》学園にかよう主人公の乱太郎《らんたろう》が、仲間たちと修行《しゅぎょう》をかさねる物語。

『NARUTO -ナルト-』

・岸本斉史《きしもとまさし》・漫画《まんが》（1999年〜）アニメ（2002年〜）

主人公の少年、うずまきナルトが、修行《しゅぎょう》をへて忍者《にんじゃ》となり敵《てき》とたたかう、異世界《いせかい》の物語。

『忍《しの》びの国《くに》』

・和田竜《わだりょう》・小説（2008年）

史実である天正伊賀《てんしょういが》の乱《らん》を背景《はいけい》に、伊賀《いが》流忍者《りゅうにんじゃ》である主人公の青年の無門《むもん》が、伊賀《いが》に侵攻《しんこう》してきた織田軍《おだぐん》と激闘《げきとう》をくりひろげる物語。

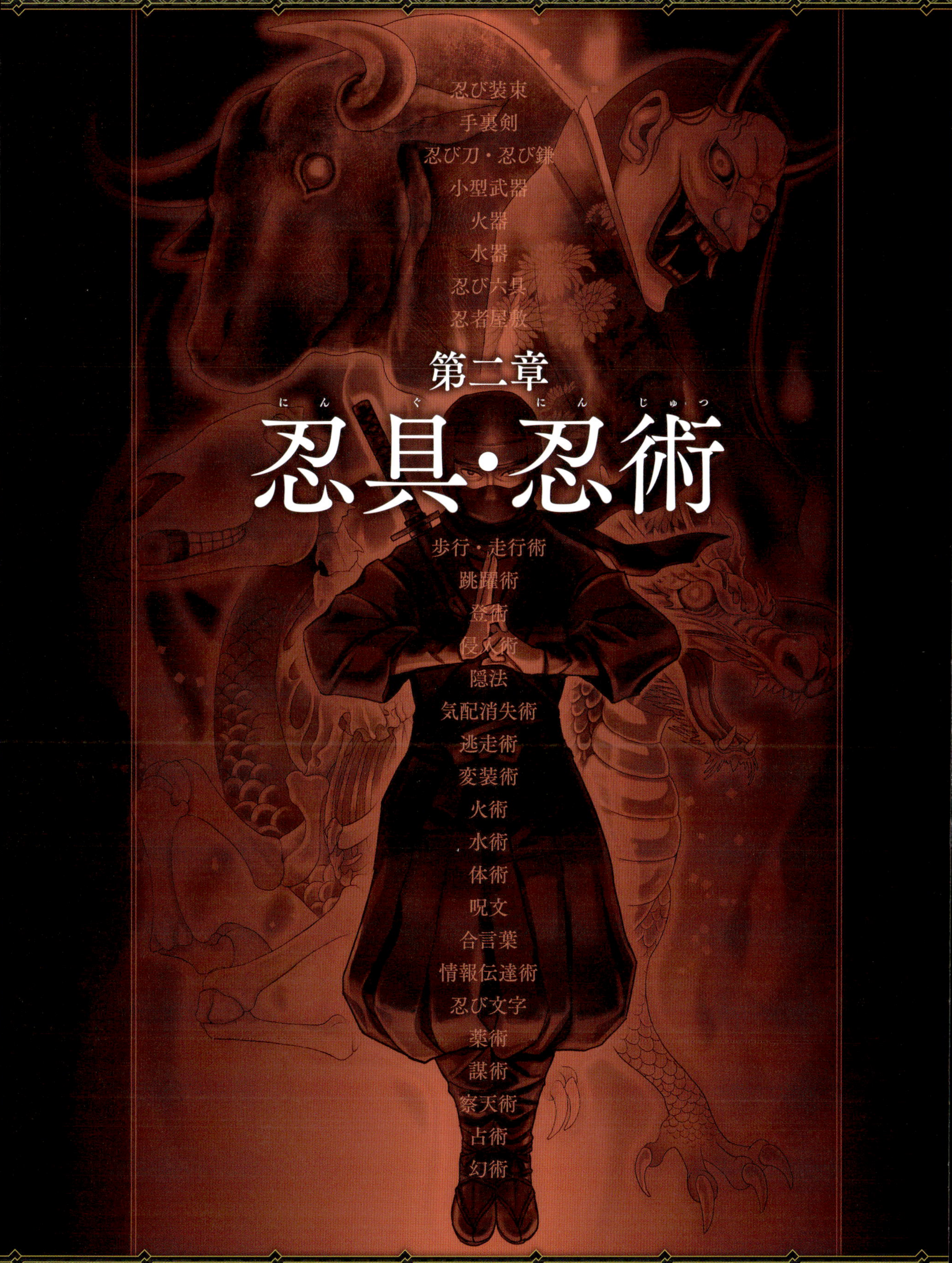

第二章 忍具《にんぐ》・忍術《にんじゅつ》

忍び装束
手裏剣
忍び刀・忍び鎌
小型武器
火器
水器
忍び六具
忍者屋敷

歩行・走行術
跳躍術
登術
侵入術
隠法
気配消失術
逃走術
変装術
火術
水術
体術
呪文
合言葉
情報伝達術
忍び文字
薬術
謀術
察天術
占術
幻術

忍術書《にんじゅつしょ》にしるされた秘伝《ひでん》

忍具《にんぐ》や忍術《にんじゅつ》は、三大忍術書《さんだいにんじゅつしょ》といわれる『万川集《まんせんしゅう》海《かい》』『正忍記《しょうにんき》』『忍秘傳《にんぴでん》』をはじめとする、多数の忍術書《にんじゅつしょ》からうかがい知ることができます。

『万川集海《まんせんしゅうかい》』

江戸《えど》時代中期の一六七六年に、伊賀《いが》忍者《にんじゃ》の藤《ふじ》林家《ばやしけ》の子孫である藤林保武《ふじばやしやすたけ》がつくった忍術書《にんじゅつしょ》。原書は全二十二巻《かん》あり、伊賀《いが》と甲賀《こうか》の秘伝《ひでん》が詳《しょう》細《さい》にまとめられている。合戦がなくなった太平の世で、忍者《にんじゃ》の知識《ちしき》や技術《ぎじゅつ》がすたれることをふせぐために、本来は門外不出《もんがいふしゅつ》だった奥義《おうぎ》をまとめたものとみられる。

書名は、いくつもの川があつまって海となるように、あらゆる流派《りゅうは》の忍術《にんじゅつ》をあつめた集大成という意味をもつ。道具や術《じゅつ》だけでなく、忍者《にんじゃ》の心得《こころえ》や大義《たいぎ》についての記述《きじゅつ》もあり、忍術書《にんじゅつしょ》の最高傑作《けっさく》ともいわれる。昭和《しょうわ》初期には、機密情《きみつじょう》報《ほう》をあつかう人材を養成する陸軍学校で、この忍術書《にんじゅつしょ》が教科書としてつかわれた。

『万川集海《まんせんしゅうかい》』の内容《ないよう》

「正心《せいしん》」
忍者《にんじゃ》の理念がしるされた項目《こうもく》。忍者《にんじゃ》は正しい心をもつことが第一で、私利私欲《しりしよく》などの邪心《じゃしん》をもてば盗賊《とうぞく》になりさがるとある。

「将知《しょうち》」
武将《ぶしょう》などにむけた、忍者《にんじゃ》を指揮《しき》するための心得《こころえ》がしるされる。忍者《にんじゃ》を極秘《ごくひ》にあつかうことや、忍者《にんじゃ》があつめた情報《じょうほう》のつかいかたなどが説明される。

「陽忍《ようにん》」
すがたをみせておこなう任務《にんむ》の「陽忍《ようにん》」がまとめられた項目《こうもく》。人をおとしいれる策略《さくりゃく》の「謀略《ぼうりゃく》」や、将来《しょうらい》をみすえた策略《さくりゃく》の「遠謀《えんぼう》」がしるされる。

「陰忍《いんにん》」
すがたをかくしておこなう任務《にんむ》の「陰忍《いんにん》」がまとめられる。城《しろ》や屋敷《やしき》への潜入《せんにゅう》方法や、奇襲《きしゅう》の方法などが解説《かいせつ》される。

「天時《てんじ》」
天文や地理にまつわる項目《こうもく》。星で方角や時《じ》刻《こく》を知る方法、雨や風を予測《よそく》する方法、方角の吉凶《きっきょう》などが解説《かいせつ》される。

「忍器《にんき》」
忍者《にんじゃ》の武器《ぶき》や道具をまとめた項目《こうもく》。水上をわたるための道具である「水器《すいき》」や、火や煙《けむり》や火薬をつかう「火器《かき》」など、さまざまな道具が解説《かいせつ》される。

※『万川集海』の書名は『萬川集海』ともかき、「ばんせんしゅうかい」ともよみます。

『正忍記《しょうにんき》』

一六八一年に、紀州藩士《きしゅうはんし》の名取正澄《なとりまさずみ》がつくった忍術書《にんじゅつしょ》。原書は全三巻《かん》からなり、忍者《にんじゃ》の流派《りゅうは》のひとつである紀州流《きしゅうりゅう》の忍術《にんじゅつ》についてまとめられる。名取正澄《なとりまさずみ》は、伊賀忍者《いがにんじゃ》の藤林長門《ふじばやしながと》と関係のある人物とも、伊賀忍者《いがにんじゃ》の百地丹波《ももちたんば》の子孫ともいわれる。また、紀州流《きしゅうりゅう》は、天正伊賀《てんしょういが》の乱《らん》で壊滅《かいめつ》した伊賀衆《いがしゅう》が、紀州《きしゅう》へとにげのびて再興《さいこう》した流派《りゅうは》だとする説もある。

『忍秘傳《にんぴでん》』

書名は、「しのびひでん」ともよむ。原書は全四巻《かん》からなり、一五六〇年ごろに、伊賀忍者《いがにんじゃ》の初代服部半蔵《はっとりはんぞう》がつくったとつたわる。服部家《はっとりけ》において、父から子へと一子相伝《いっしそうでん》される、門外《もんがい》不出《ふしゅつ》の秘伝書《ひでんしょ》だったという。内容《ないよう》は、伊賀《いが》と甲《こう》賀《か》の伝記や、忍者《にんじゃ》の道具、隠密《おんみつ》の秘法《ひほう》などが詳《しょう》細《さい》にしるされている。

その他の忍術書《にんじゅつしょ》の一例

『忍術秘書応義伝《にんじゅつひしょおうぎでん》』

一五七五年にしるされたとされる、甲賀《こうか》の忍術書《にんじゅつしょ》。甲賀《こうか》の名門、頓宮家《とんぐうけ》につたわる。

『甲賀流武術《こうかりゅうぶじゅつ》』

江戸《えど》時代にしるされた、甲賀《こうか》の忍術書《にんじゅつしょ》。作者不明。火薬や薬の調合法などがしるされる。

『義盛百首《よしもりひゃくしゅ》』

源義経《みなもとのよしつね》に仕《つか》えた武将《ぶしょう》の伊勢義盛《いせよしもり》が、忍者《にんじゃ》の心得《こころえ》などを詠《よ》んだとされる、百首の和歌。

『引光流忍法註書附長家伝《いんこうりゅうにんぽうちゅうしょつけたりちょうかでん》』

広島《ひろしま》県につたわる忍者《にんじゃ》の流派《りゅうは》、引光流《いんこうりゅう》の忍《にん》術書《じゅつしょ》。忍者《にんじゃ》の技術《ぎじゅつ》や道具が解説《かいせつ》される。

忍具《にんぐ》

忍《しの》び装束《しょうぞく》

用《よう》途《と》

- 農民になりすます
- 暗所にとけこむ
- 自在《じざい》にうごける戦闘服《せんとうふく》

あらゆる状況《じょうきょう》に対応可能《たいおうかのう》 機能性《きのうせい》にすぐれた忍者服《にんじゃふく》

忍者《にんじゃ》が任務《にんむ》をおこなうときに着用したとされる服。闇夜《やみよ》や人ごみに身をかくすことができて、戦闘時《せんとうじ》にはうごきやすく、手裏《しゅり》剣《けん》などをいれるかくしポケットも各所についている。

忍び装束《しのびしょうぞく》は、農民の作業着である野良着《のらぎ》を加工してつくられている。色は、黒や紺色《こんいろ》、茶色や柿渋色《かきしぶいろ》（灰《はい》がかった黄赤色《おうせきしょく》）など、一般的《いっぱんてき》な野良着《のらぎ》と同様の地味なものがつかわれる。頭巾《ずきん》をはずして人ごみにはいれば、ふつうの農民とみわけがつかなくなり、頭巾《ずきん》をかぶって肌《はだ》をかくすと、夜間の暗闇《くらやみ》にとけこむことができた。ただし、月あかりがある夜では、黒い装束《しょうぞく》はかえってめだってしまうという。

かくしポケットは、胸《むね》、帯《おび》、手甲《てっこう》、尻《しり》、脚絆《きゃはん》など、全身に十か所以上そなわっている。ここに、手裏剣《しゅりけん》などの小型武器《こがたぶき》や、密書《みっしょ》などをしのばせたという。

戦闘時《せんとうじ》には、忍び装束《しのびしょうぞく》の下に、鎖《くさり》かたびらを着用することもある。また、道中では、忍び装束《しのびしょうぞく》の上から羽織《はおり》をまとうこともあった。羽織《はおり》は、表と裏《うら》のどちらでも着用できるリバーシブルで、両面の色が黒と白などまったくちがう色でつくられていた。とっさのときに裏表《うらおもて》にきがえて、かんたんな変装《へんそう》ができるのだ。

頭巾《ずきん》のまきかた

1 布《ぬの》をかぶる。

2 右側の布《ぬの》で鼻をおおう。

3 左側の布《ぬの》をあごにまく。

4 左右の布《ぬの》を首のうしろでむすぶ。

忍具《にんぐ》

手裏剣《しゅりけん》

用途《ようと》
・投擲武器《とうてきぶき》
・護身用《ごしんよう》
・暗殺用

いろいろな手裏剣《しゅりけん》

丸棒型棒手裏剣《まるぼうがたぼうしゅりけん》

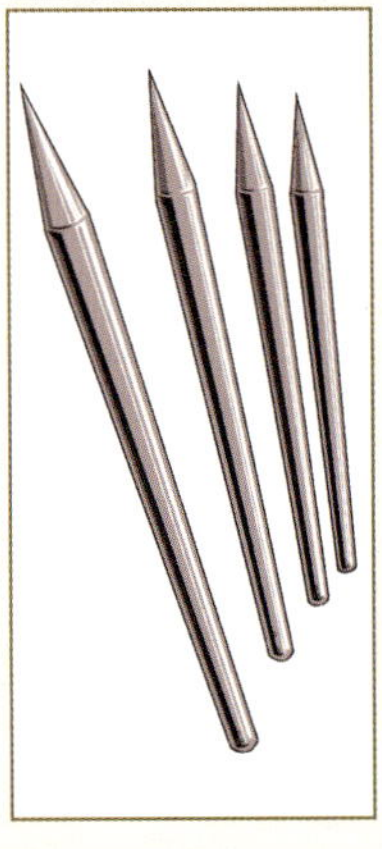

折りたたみ十字手裏剣《じゅうじしゅりけん》

八方手裏剣《はっぽうしゅりけん》

十字手裏剣《じゅうじしゅりけん》

筆型棒手裏剣《ふでがたぼうしゅりけん》

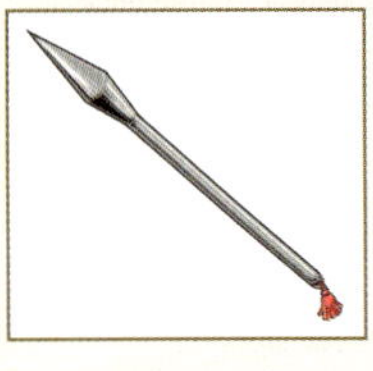

四方手裏剣《しほうしゅりけん》〈糸巻《いとまき》〉

卍手裏剣《まんじしゅりけん》

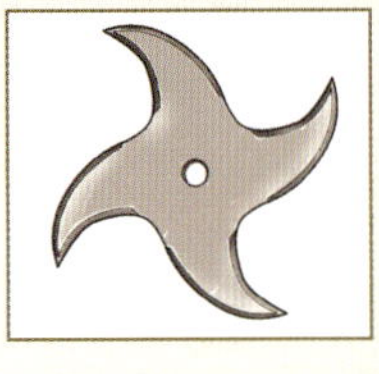

武士《ぶし》がたしなんだ手裏剣術《しゅりけんじゅつ》

形や用途《ようと》は多種多様

敵《てき》にむけて打ったり、手のなかにかくして敵《てき》をさしたりする、小型の武器《ぶき》。形状《けいじょう》は、用途《ようと》や流派《りゅうは》によってさまざまある。

手裏剣《しゅりけん》は、「なげる」ではなく、正しくは「打つ」という。もとは、剣《けん》や弓と同様に、武士《ぶし》が武芸《ぶげい》でならうひとつの武器《ぶき》だったが、携帯《けいたい》しやすく、音をたてずに打つことができたため、隠密《おんみつ》行動の際《さい》に忍者《にんじゃ》たちもつかうようになったという。

手裏剣《しゅりけん》は、大きくわけて二種類ある。ひとつは、十字手裏剣《じゅうじしゅりけん》のような、両面がたいらの「車《くるま》手裏剣《しゅりけん》」で、もうひとつは、釘《くぎ》や短剣《たんけん》のような形の「棒手裏剣《ぼうしゅりけん》」だ。いずれも、相手に切り傷《きず》や刺《さ》し傷《きず》ほどしかあたえられないので、殺傷能力《さっしょうのうりょく》はひくい。しかし、刃先《はさき》にトリカブトなどの毒をぬることで、致命傷《ちめいしょう》をあたえることもできる。

手裏剣《しゅりけん》の飛距離《ひきょり》は、並《なみ》の忍者《にんじゃ》が打つと十五メートルほどで、さほど遠くにはとどかない。そのため、おもな使用法は、「敵《てき》にみつかった際《さい》に手裏剣《しゅりけん》を打ち、追手がひるんだすきににげる」というものだった。ただし、戦国武将《ぶしょう》の真田昌幸《さなだまさゆき》に仕《つか》えた次郎坊《じろうぼう》という忍者《にんじゃ》は、百発百中の手裏剣《しゅりけん》名人で、その飛距離《ひきょり》は九十メートルにたっしたという。

手裏剣《しゅりけん》の打ちかた

手裏剣《しゅりけん》の基本的《きほんてき》な打ちかたは、「本打《ほんう》ち」「逆打《ぎゃくう》ち」「横打《よこう》ち」がある。

本打《ほんう》ち

肩《かた》の上からふりかぶって打つ。打つ瞬間《しゅんかん》に手首をかえして回転をつける。

逆打《ぎゃくう》ち

腰《こし》の下から打つ。せまい場所で手裏剣《しゅりけん》を打つときに有効《ゆうこう》。

横打《よこう》ち

体の外側、または内側から、横方向に腕《うで》をふって打つ。

忍具《にんぐ》

忍《しの》び刀《がたな》・忍《しの》び鎌《がま》

忍《しの》び鎌《がま》

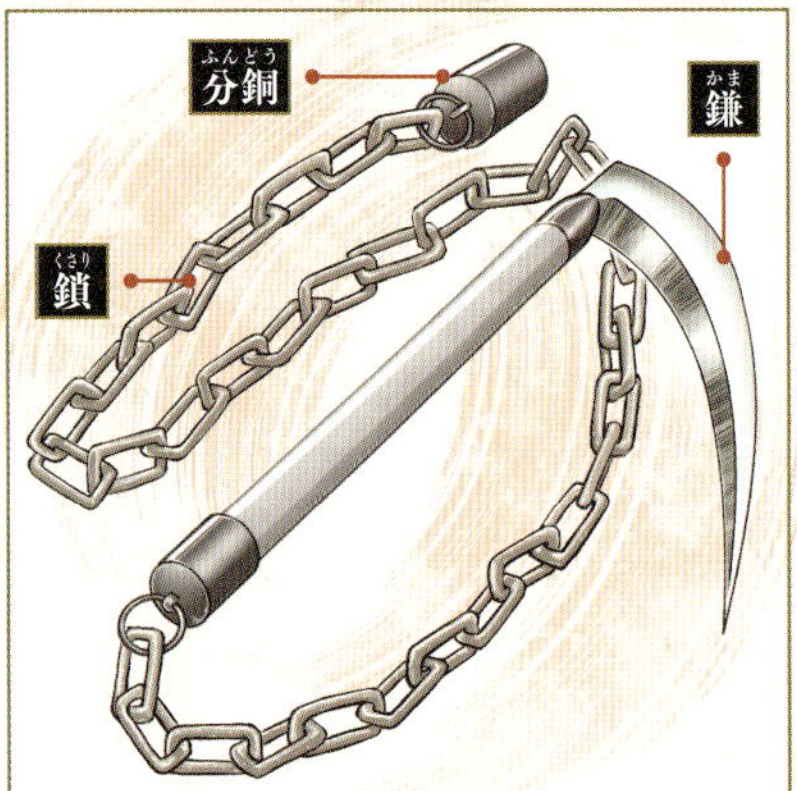

忍《しの》び刀《がたな》

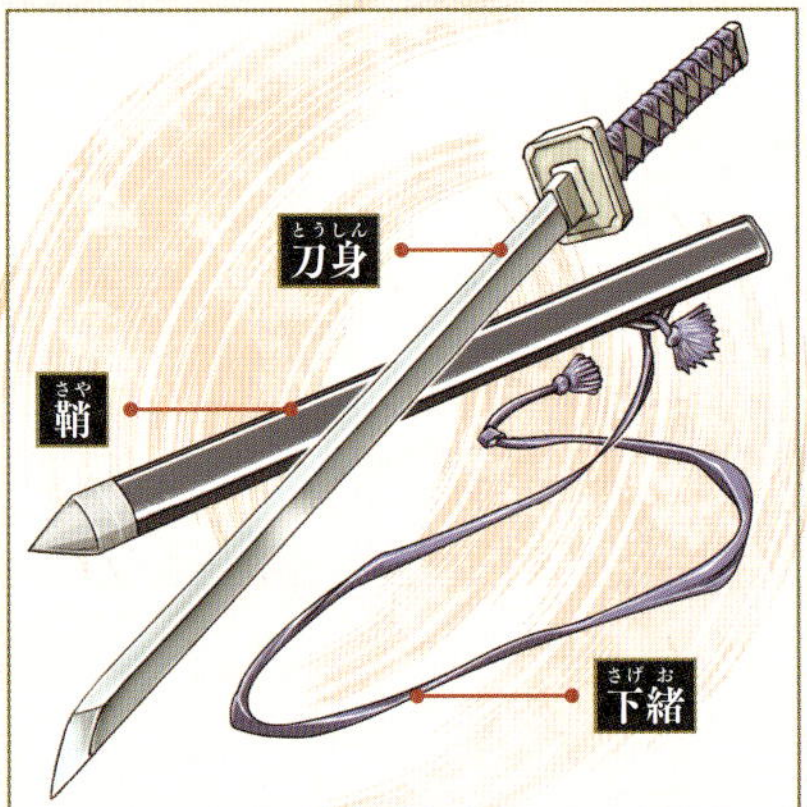

用途《ようと》

・戦闘用《せんとうよう》の武器《ぶき》
・任務遂行時《にんむすいこうじ》の道具

みじかい直刀の「忍《しの》び刀《がたな》」小型の携帯型《けいたいがた》「忍《しの》び鎌《がま》」

おもに戦闘時《せんとうじ》につかったとされる武器《ぶき》。どちらも、忍者《にんじゃ》ならではの工夫がこらされる。

忍《しの》び刀《がたな》は、忍者刀《にんじゃとう》ともよばれる。武士《ぶし》がつかう刀とはちがい、刀身《とうしん》がみじかくてほそく、反《そ》りのない直刀にしたてられている。これは、室内などのせまい場所で、「斬《き》る」のではなく「突《つ》く」ことを想定しているためだ。また、刀を帯《おび》に固定する紐《ひも》である下緒《さげお》の長さは、武士《ぶし》のものでは二メートルほどだが、忍《しの》び刀《がたな》は三メートルもある。これは、とりおさえた敵《てき》をしばったり、出血時に腕《うで》や足をしばって止血したりするほか、刀を足がかりにして高所にのぼったあとに刀をひきあげるときにも役だつ。

忍《しの》び鎌《がま》は、本来は農具のひとつである鎌《かま》を小型にしたてて鎖《くさり》をとりつけ、戦闘用《せんとうよう》に加工したもの。そのつくりはさまざまで、刃《は》をおりたたんで柄《え》にしまえるものや、両刃《りょうば》になっているものなどがある。鎖《くさり》は、なげた鎌《かま》をコントロールしたり、相手の腕《うで》や足にからめてうごきをふうじたりしてつかう。また、鎖《くさり》のはしにつけられたおもい分銅《ふんどう》をなげて打撃《だげき》をくわえることも可能《かのう》だ。予測不能《よそくふのう》な攻撃《こうげき》ができることが、この武器《ぶき》の最大の特徴《とくちょう》といえる。

いろいろな「仕込《しこ》み武器《ぶき》」

武器《ぶき》をもっていることをかくすため、杖《つえ》や扇子《せんす》など、ふだんもちあるくものを加工して、刀などをくみこんだ。

仕込《しこ》み杖《づえ》

杖《つえ》のなかに刀が仕込《しこ》まれている。

仕込《しこ》み扇子《せんす》

小刀をかくしいれた扇子《せんす》。

仕込《しこ》みキセル

喫煙用具《きつえんようぐ》のキセルに錐《きり》などを仕込《しこ》んだもの。

忍具《にんぐ》

小型武器《こがたぶき》

用途《ようと》

・護身用《ごしんよう》
・戦闘用《せんとうよう》
・敵《てき》の足どめ

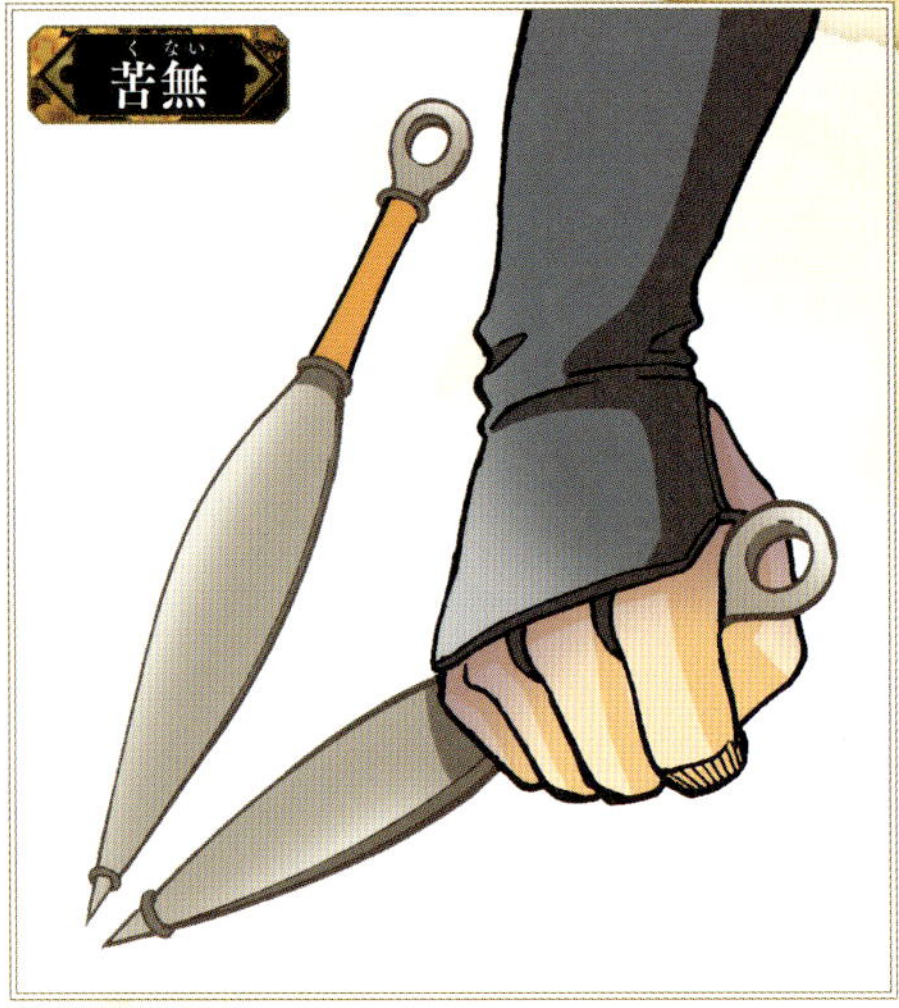
苦無《くない》

手甲鉤《てっこうかぎ》

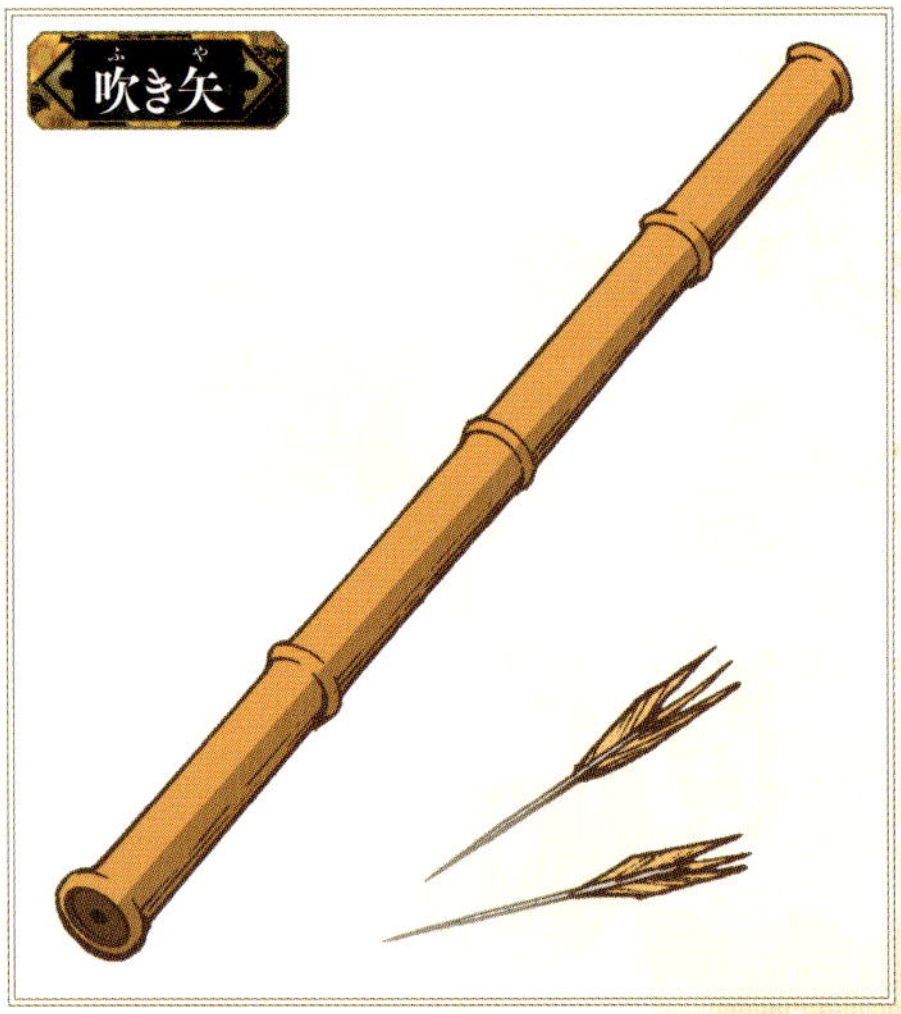
吹《ふ》き矢《や》

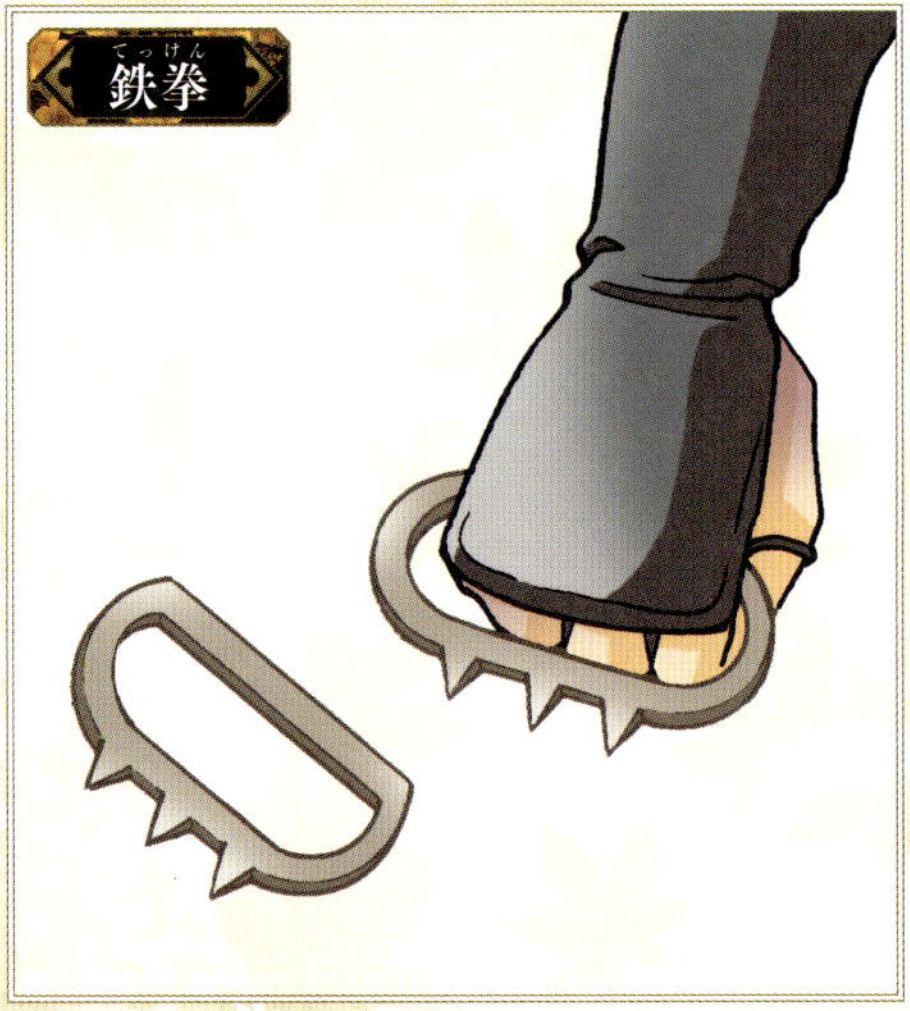
鉄拳《てっけん》

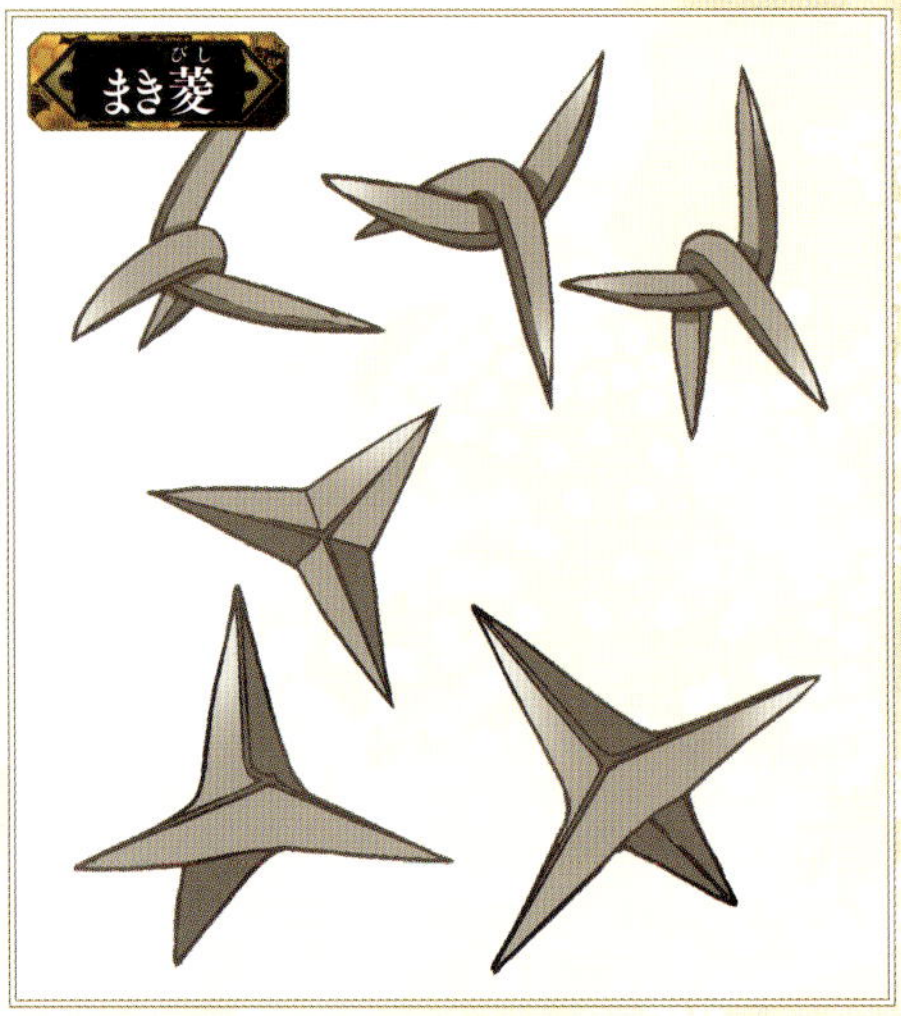
まき菱《びし》

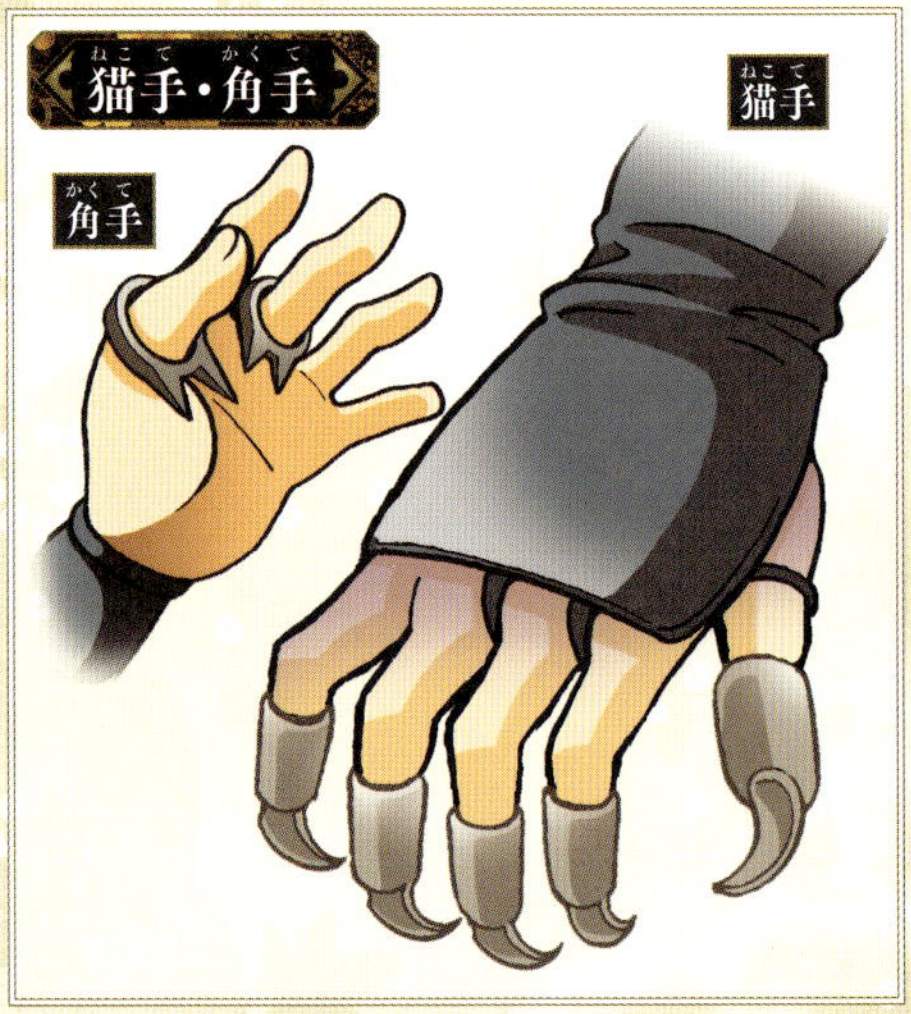

猫手《ねこて》・角手《かくて》

いざというときの切り札
効果絶大《こうかぜつだい》の携帯武器《けいたいぶき》

かくしてもちあるくため、小型につくられた、忍者《にんじゃ》特有の武器《ぶき》。手に装着《そうちゃく》する「手甲鉤《てっこうかぎ》」や、地面にばらまく「まき菱《びし》」など、さまざまなものがある。

手甲鉤《てっこうかぎ》は、手に装着《そうちゃく》する鉄製《てっせい》のツメで、至近距離《しきんきょり》の敵《てき》をひっかくようにして攻撃《こうげき》する。また、敵《てき》がふりおろしてきた刀をうけとめるなど、防御《ぼうぎょ》でもすぐれた効果《こうか》を発揮《はっき》する。

鉄拳《てっけん》は、拳《こぶし》でにぎりしめて敵《てき》をなぐりつける武器《ぶき》で、素手《すで》で殴打《おうだ》するよりも格段《かくだん》に破壊力《はかいりょく》があがる。さらに破壊力《はかいりょく》を増大《ぞうだい》させるために、いくつかの角《つの》がつけられたものもある。

猫手《ねこて》と角手《かくて》は、指にはめてつかう武器《ぶき》。突起《とっき》の先に毒をぬれば、わずかな傷《きず》でも致命傷《ちめいしょう》をあたえられる。角手《かくて》は、突起《とっき》が内側になるように装着《そうちゃく》し、敵《てき》の腕《うで》をにぎりしめて負傷《ふしょう》させる。

苦無《くない》は、短刀のように敵《てき》をきりつけたり、手裏剣《しゅりけん》のように打ったりするほか、穴《あな》をほる道具などにも応用《おうよう》できる。

吹《ふ》き矢《や》は、針《はり》の先端《せんたん》に毒をぬってつかう。数本の筒《つつ》をたばねた散弾型《さんだんがた》の吹《ふ》き矢《や》もある。

まき菱《びし》は、逃走時《とうそうじ》に地面にまいて、敵《てき》を足どめする。鉄製《てっせい》、竹製《たけせい》、木製《もくせい》などがあり、天然の菱《ひし》の実もつかわれた。

しのび とらのまき

手近なものを武器《ぶき》に とっさの判断《はんだん》で現地調達《げんちちょうたつ》

任務遂行《にんむすいこう》にあたり、移動時《いどうじ》にはなにももたず、現地《げんち》で武器《ぶき》を調達するほうが理《り》にかなっていた。彼《かれ》らは、すぐれた観察《かんさつ》眼《がん》と、とっさの判断力《はんだんりょく》で、その場にあるものを武器《ぶき》としてつかうことができた。

女性《じょせい》が髪《かみ》をかざるときにつかうかんざしは、先端《せんたん》がとがっていて、敵《てき》につきさすときに好都合な武器《ぶき》となる。箸《はし》や火箸《ひばし》も、かんざしと同様に敵《てき》を攻撃《こうげき》できる。茶碗《ちゃわん》などの陶器《とうき》をわれば、鋭利《えいり》なツメとしても使用可能《かのう》だ。

火《か》器《き》

用《よう》途《と》

・敵《てき》を攻撃《こうげき》、威嚇《いかく》する
・暗所でつかう照明
・仲間に合図をおくる

いろいろな火器《かき》

大国火矢《おおくにひや》

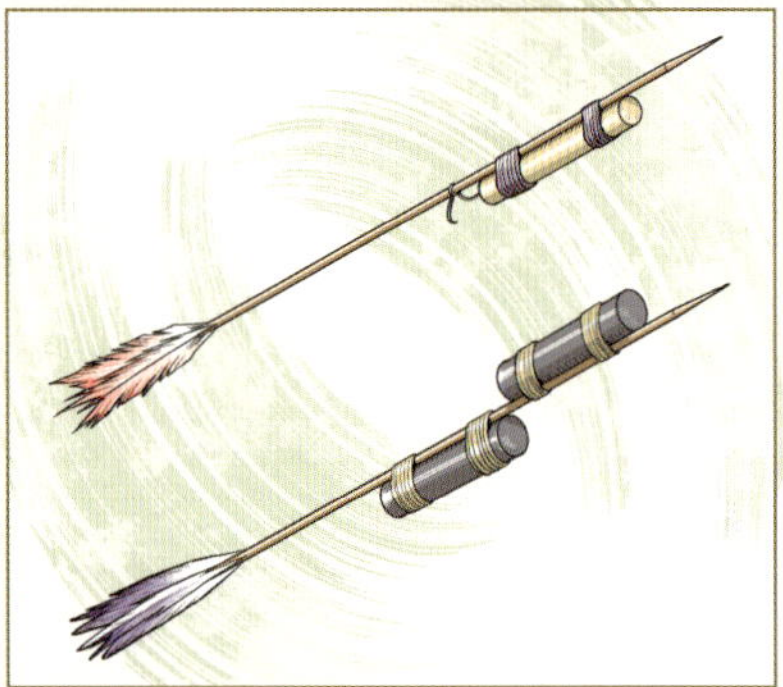

矢の先端《せんたん》の容器《ようき》に火薬がつめてあり、導火線《どうかせん》に火をつけて弓ではなつ。

焙烙火矢《ほうろくひや》

焙烙《ほうろく》という素焼《すや》きの陶器《とうき》に火薬をつめてつくる、手榴弾《しゅりゅうだん》のような武器《ぶき》。

火薬を熟知《じゅくち》していた忍者《にんじゃ》
さまざまな火器《かき》を開発

火をつかった忍者《にんじゃ》の道具。攻《こう》撃用《げきよう》、照明用、通信用など、多種多様な火器《かき》がある。

忍者《にんじゃ》たちは、火や火薬のあつかいに精通《せいつう》し、独特《どくとく》な火器《かき》を開発していた。忍術書《にんじゅつしょ》『万川集《まんせんしゅう》海《かい》』には、彼《かれ》らが考案した火器《かき》が、多数しるされている。

焙烙火矢《ほうろくひや》は、ふたつの陶器《とうき》に火薬をつめて縄《なわ》でしばった、手《しゅ》榴弾《りゅうだん》のような武器《ぶき》だ。導火線《どうかせん》に火をつけてなげこみ、爆発《ばくはつ》させて敵《てき》を攻撃《こうげき》、威嚇《いかく》する。

はなれた建物に放火するには、大国火矢《おおくにひや》をもちいる。火薬を仕《し》込《こ》んだ矢の導火線《どうかせん》に着火して弓ではなち、とどいた先で爆発《ばくはつ》して炎上《えんじょう》するというしくみだ。

竹筒《たけづつ》から火の粉をまきちらす、取火方《とりびかた》という火器《かき》もある。今でいう火炎放射器《かえんほうしゃき》のようにつかう、おそるべき武器《ぶき》だ。

闇夜《やみよ》に活動する忍者《にんじゃ》にとって、照明用の火器《かき》も重要な道具だった。代表的な照明器具である松《たい》明《まつ》は、用途《ようと》にあわせていろいろなものが開発され、小型の松明《たいまつ》や、水中でもきえない松明《たいまつ》などもつくられた。ほかにも、通信器としてもつかえる龕灯《がんどう》や、それらに火をつけるために携帯《けいたい》する火種《ひだね》の胴《どう》の火《ひ》などがあり、工夫からうまれた火器《かき》の種類は、おどろくほど多彩《たさい》だ。

胴《どう》の火《ひ》

銅《どう》の筒《つつ》に黒く焼いた布《ぬの》をいれて火種《ひだね》にする。火は十二時間きえず、カイロとしてもつかえる。

水中松明《すいちゅうたいまつ》

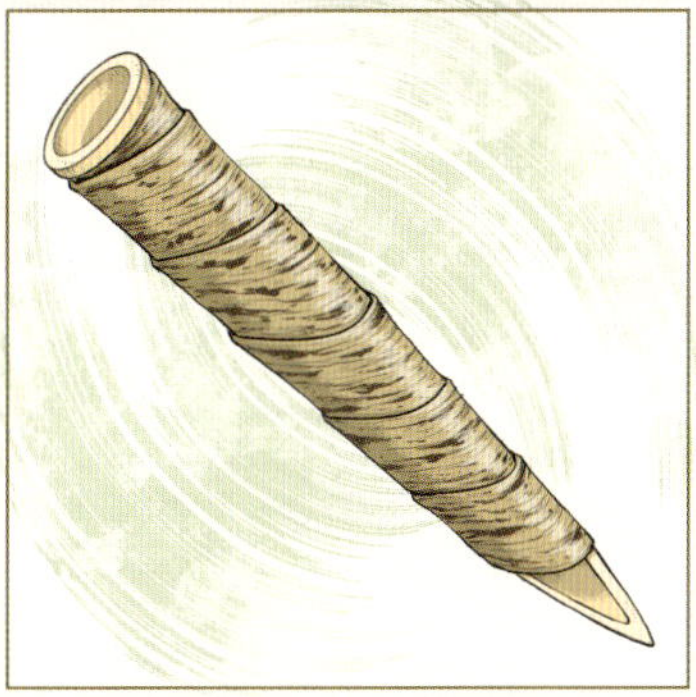

火薬にヨモギやネズミの糞《ふん》などをまぜて竹《たけ》筒《づつ》につめ、竹の皮でつつんでつくる。

取火方《とりびかた》

竹筒《たけづつ》のなかに鉄粉と火薬をつめたもの。敵《てき》にあつい火の粉をあびせかける。

忍具《にんぐ》

水器《すいき》

用《よう》途《と》

・川や池をわたる
・荷物をぬらさずにはこぶ

いろいろな水器《すいき》

かめ筏《いかだ》

水がめの浮力《ふりょく》を利用。桶《おけ》や釜《かま》、うすをつかうこともある。

水蜘蛛《みずぐも》

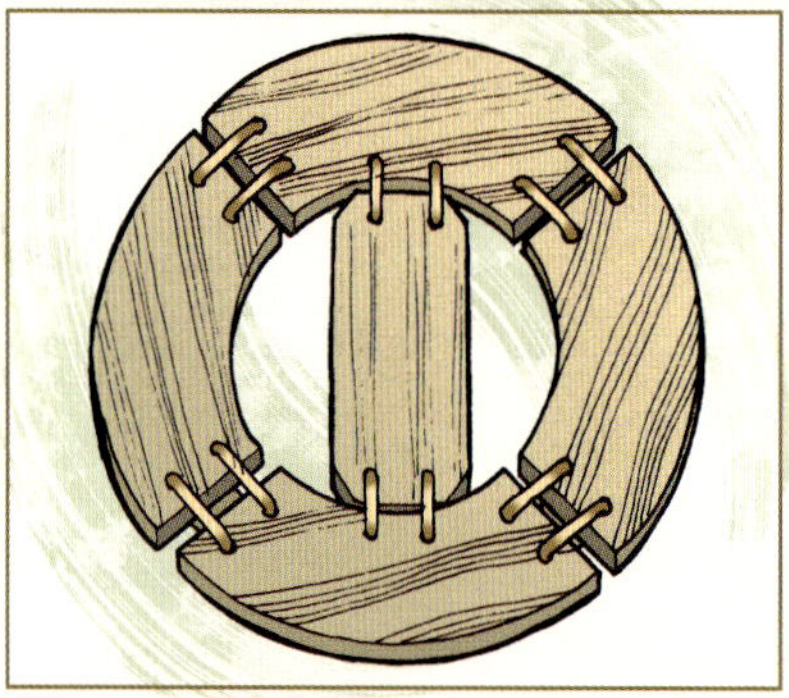

木板などのかるい素材《そざい》でつくる。小型のものを両足にはくタイプもあったという。

水上を移動《いどう》するための道具
ありあわせの物が材料

川や池などの水面をわたるときにつかう道具。忍者《にんじゃ》は、火薬や密書《みっしょ》など、水にぬらしてはいけないものを所持することが多いため、任務《にんむ》におうじて、携帯《けいたい》型《がた》の水器《すいき》をあらかじめ準備《じゅんび》したり、手近なものを利用してその場で水器《すいき》をつくったりした。

水蜘蛛《みずぐも》は、一人乗りのボートのような水器《すいき》だ。小さくおりたためるため、人にあやしまれずにもちはこびできる。

かめ筏《いかだ》は、当時どこの家にもあった水がめを利用してつくる。民家などから竹や槍《やり》を調達してきて格子状《こうしじょう》にくみあげ、空の水がめを四隅《よすみ》にむすびつけて浮《う》きにする。

蒲筏《がまいかだ》は、水辺に多く生える野草の蒲《がま》をつかう。かりとった蒲《がま》を太い束《たば》にして筏《いかだ》にくみあげ、蒲《がま》の浮力《ふりょく》で水面にうかぶ。

浮橋《うきばし》は、竹や丸太を縄《なわ》でしばって水面にうかべ、小型の橋のようにして上をわたる。

浮玉《うきだま》は、動物の皮や腸、ひょうたんなどでつくられた浮《う》き袋《ぶくろ》だ。川をわたるときや、堀《ほり》の水面にとどまって偵察《ていさつ》をおこなうときに、まきつけるようにして身につけて、浮力《ふりょく》をかせぐ。

これらの水器《すいき》をつかいこなすためには、高度な技術《ぎじゅつ》と身体能《しんたいのう》力《りょく》を必要とする。

浮玉《うきだま》

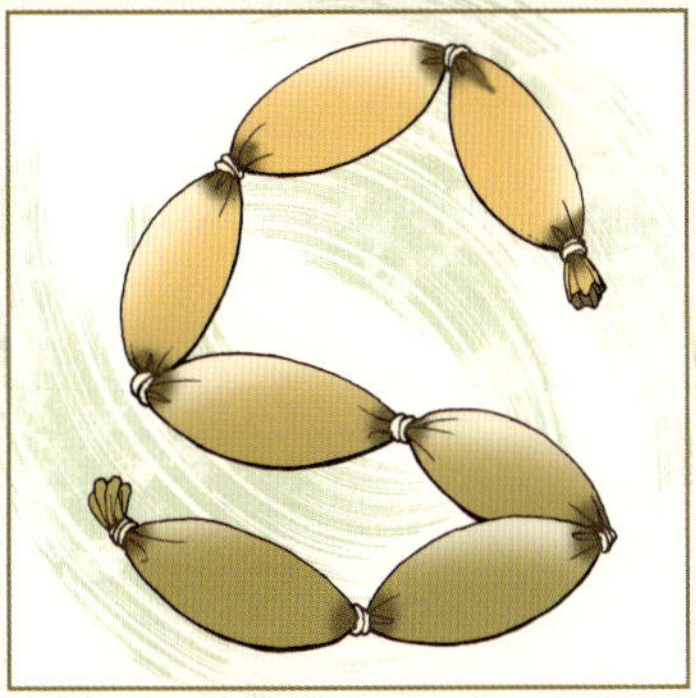

皮などでつくる浮《う》き袋《ぶくろ》。腰《こし》にまいたり、たすきがけにしたりして装着《そうちゃく》する。

浮橋《うきばし》

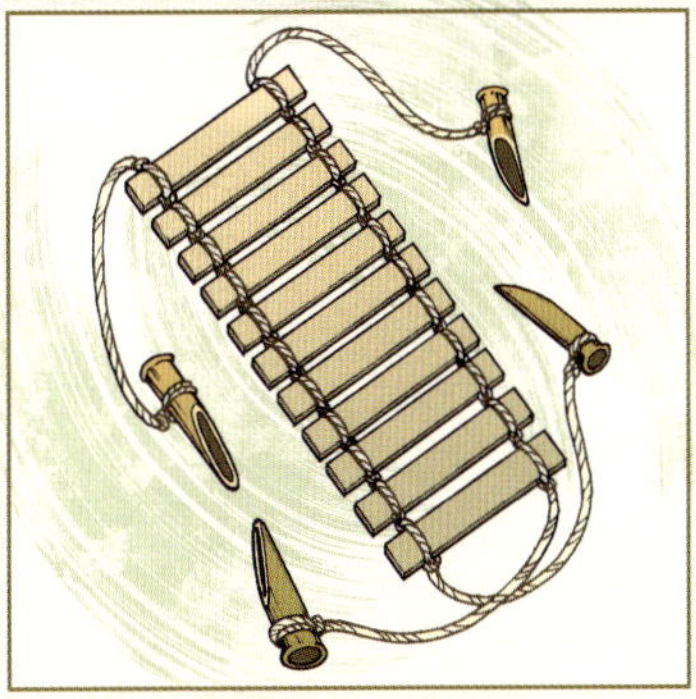

竹や丸太を縄《なわ》でしばってつくる橋。

蒲筏《がまいかだ》

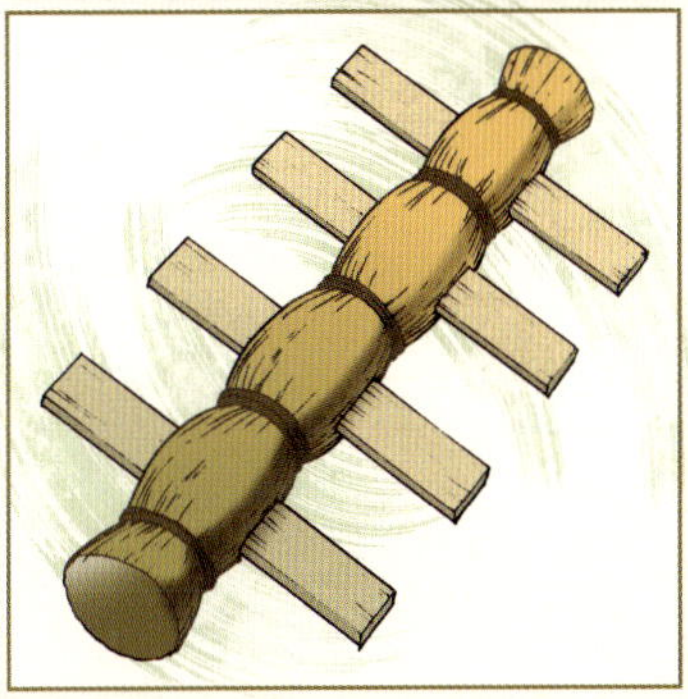

蒲《がま》の束《たば》でつくる筏《いかだ》。回転防止《ぼうし》のため、板などを横にはさみいれる。

忍具《にんぐ》

忍《しの》び六具《りくぐ》

用途《ようと》

- 必要最低限《さいていげん》の忍者《にんじゃ》道具
- 任務《にんむ》出発の際《さい》に所持

あらゆる任務《にんむ》で役にたつ忍者《にんじゃ》必携《ひっけい》の六つの道具

三大忍術書《にんじゅつしょ》のひとつ『正忍記《しょうにんき》』にしるされている、忍者《にんじゃ》が携帯《けいたい》すべき六つの道具。打竹《うちたけ》、三尺手拭《さんじゃくてぬぐい》、石筆《せきひつ》、鉤縄《かぎなわ》、薬、編《あみ》笠《がさ》をさす。

打竹《うちたけ》は、火種《ひだね》をいれる竹の筒《つつ》で、火をつけた火縄《ひなわ》をいれてでもちあるくことができる。この火《ひ》種《だね》で、あかりや火薬、狼煙《のろし》などに着火する。打竹《うちたけ》と同様の道具に、胴《どう》の火《ひ》という火器《かき》もある。

三尺手拭《さんじゃくてぬぐい》は、約百十四センチメートルの手ぬぐいで、頬《ほお》かむり、鉢巻《はちまき》、包帯などにつかう。手拭《てぬぐい》で泥水《どろみず》をすくって濾過《ろか》し、のみ水をつくることもある。

石筆《せきひつ》は、滑石《かっせき》の筆記用具で、チョークのように石や壁《かべ》に筆記できる。石筆《せきひつ》のかわりに、筆と墨《すみ》をいれた矢立《やたて》を携帯《けいたい》することもあった。

鉤縄《かぎなわ》は、塀《へい》などの高いところへ、のぼりおりするための道具。縄《なわ》の部分で敵《てき》をしばったり、鉤《かぎ》と縄《なわ》をつかって小舟《こぶね》を岸に固定したりすることもできる。

薬は、印籠《いんろう》にいれてもちあるく。傷薬《きずぐすり》や胃腸薬のほか、虫よけ、毒薬、解毒薬《げどくやく》など、任務《にんむ》にあわせて薬をえらんだ。

編笠《あみがさ》は、旅人がかぶる帽子《ぼうし》のようなもので、顔をかくしたり、小型の弓矢や機密《きみつ》文書を裏《うら》に仕《し》込《こ》んだりした。

しのびとらのまき

火種《ひだね》なしでも発射可能《はっしゃかのう》暗殺武器《ぶき》の「握《にぎ》り鉄砲《でっぽう》」

鉄砲術《てっぽうじゅつ》に精通《せいつう》する忍者《にんじゃ》は多いが、その鉄砲《てっぽう》をつかうときは火縄《ひなわ》に着火する必要があり、火種《ひだね》はかかせないものだった。ただし、忍者《にんじゃ》がつかったとされる「握《にぎ》り鉄砲《でっぽう》」は、発火装置《そうち》がついていたので、火種《ひだね》は不必要だったという。

握《にぎ》り鉄砲《でっぽう》の長さは十五センチメートルほどで、手のなかにすっぽりとおさまる。火薬と弾《たま》を仕込《しこ》んで、いきおいよく取っ手をにぎると、雷汞《らいこう》という起爆剤《きばくざい》が発火して、弾《たま》を発射《はっしゃ》することができる。

忍具《にんぐ》

忍者屋敷《にんじゃやしき》

用途《ようと》

・物や人をかくす
・民家や屋敷《やしき》をよそおう
・緊急時《きんきゅうじ》に脱出《だっしゅつ》する

侵入者《しんにゅうしゃ》をあざむく からくりだらけの屋敷《やしき》

敵兵《てきへい》の襲来《しゅうらい》や、敵忍者《てきにんじゃ》の潜入《せんにゅう》を想定してつくられた、忍者《にんじゃ》の屋敷《やしき》。かくし扉《とびら》やかくし部屋など、さまざまなからくりがほどこされる。

有名な「どんでん返《がえ》し」は、回転する板壁《いたかべ》のからくりだ。このおくに、かくし部屋や脱出口《だっしゅつこう》へとつながる通路がある。

忍者屋敷《にんじゃやしき》のからくりや、かくされている通路や部屋などは、外からみても、部屋のなかからみても、その存在《そんざい》がまったくわからない。人の目を錯覚《さっかく》させるように、屋根の角度や天井《てんじょう》の高さ、部屋の配置などに、細工がほどこされている。

忍者《にんじゃ》の日常《にちじょう》

忍者《にんじゃ》たちがふだんすごしていた、日常《にちじょう》の活動を紹介《しょうかい》します。多くの忍者《にんじゃ》は、農民とおなじような仕事をしながら、日々《ひび》の修行《しゅぎょう》にはげんでいました。

農業や行商をして生活費をかせぐ

忍者《にんじゃ》は、山里などの集落で、小規模《しょうきぼ》な集団《しゅうだん》生活をおくっていた。その多くは、一般的《いっぱんてき》な農民とおなじように農業をいとなみ、米などの農作物をつくったとされている。薬草の栽培《さいばい》がさかんだった甲賀《こうか》では、つくった薬をたずさえて全国をまわり、行商をしていたという。

米などの農作物をつくる

薬をつくって行商する

大名の家臣は「知行《ちぎょう》」と「恩賞《おんしょう》」をもらう

大名に仕官した忍者《にんじゃ》は、他の家臣の武将《ぶしょう》たちと同様に、「知行《ちぎょう》」と「恩賞《おんしょう》」をもらって生活し、配下の忍者《にんじゃ》たちをやしなった。知行《ちぎょう》とは領地《りょうち》のことで、そこで生産された米を年貢《ねんぐ》として徴収《ちょうしゅう》する。恩賞《おんしょう》は、合戦で手柄《てがら》をあげたときなどにもらう、ボーナスのようなものだ。

忍者《にんじゃ》の修行《しゅぎょう》をする

農作業などの仕事をおえたあとは、専門的《せんもんてき》な忍者修行《にんじゃしゅぎょう》をおこなう。日々《ひび》の鍛錬《たんれん》で、走行術《そうこうじゅつ》や跳躍術《ちょうやくじゅつ》といった身体的能力《のうりょく》をのばし、武器《ぶき》や火器《かき》などをあつかう技術《ぎじゅつ》をみがく。心の鍛錬《たんれん》はとくに重視《じゅうし》され、恐怖《きょうふ》や不安にうちかって、冷静さをつねに維持《いじ》できるように、さまざまな修行《しゅぎょう》をかさねたという。

心をきたえる

技術《ぎじゅつ》をみがく

体をきたえる

武器《ぶき》や薬などを研究・開発する

農作業と忍者修行《にんじゃしゅぎょう》の合間をぬって、武器《ぶき》や薬などの研究と開発も、ひそかにおこなわれた。古くから薬草の生産がさかんだった甲賀《こうか》では、怪我《けが》や病気のときにつかう薬の製法《せいほう》を多数もっており、火薬の開発にも精通《せいつう》していたという。鉄砲《てっぽう》を大量に所持していた雑賀衆《さいかしゅう》は、海外から輸入《ゆにゅう》した鉄砲《てっぽう》を参考にして、独自《どくじ》の鉄砲《てっぽう》を生産していたとされる。

研究・開発する

歩行《ほこう》・走行術《そうこうじゅつ》

用途《ようと》

- 足音をたてずにすすむ
- 敵《てき》からのがれる
- 長距離《ちょうきょり》を走破《そうは》する

しずかにすばやく移動《いどう》
忍者《にんじゃ》に必須《ひっす》の基本技《きほんわざ》

足音をたてずにあるき、短距《たんきょ》離《り》を一瞬《いっしゅん》でかけぬけ、長距離《ちょうきょり》を完走するための、さまざまな術《じゅつ》。

代表的な歩行術《ほこうじゅつ》に、音をたてずにあるく、「抜《ぬ》き足《あし》、差《さ》し足《あし》、忍《しの》び足《あし》」がある。抜《ぬ》き足《あし》は、足をぬくようにして真上にあげること。差《さ》し足《あし》は、足を地面にさすように指先からおろすことで、小指から接地《せっち》して、じわりと親指側に体重をうつす。抜《ぬ》き足《あし》と差《さ》し足《あし》をあわせて、忍《しの》び足《あし》とよぶ。また、差《さ》し足《あし》よりもさらに接地面《せっちめん》をせばめて、つま先を駆《く》使《し》する「浮《う》き足《あし》」というものもある。足のうらを地面にすりつけてすすむ「すり足《あし》」は、まき菱《びし》などの障害物《しょうがいぶつ》をさけるときにもちいた。

走行術《そうこうじゅつ》では、両手をつかわずだらりとさげる「忍者走《にんじゃばし》り」という独特《どくとく》な走法をもちいたという。ただし、走力の向上には、なによりも日頃《ひごろ》の鍛錬《たんれん》が重視《じゅうし》された。その修行《しゅぎょう》は、腰《こし》に長い紐《ひも》をむすびつけて、紐《ひも》の先が地面につかない速度ではしったり、胸《むね》に笠《かさ》をあてて、笠《かさ》が落下しない速度ではしったりしたという。

並《なみ》の忍者《にんじゃ》でも、一日に約百二十キロを走破《そうは》できたとされる。しかし、駿足《しゅんそく》で名をのこす熊若《くまわか》や二曲輪猪助《にのくるわいすけ》などは、さらに超《ちょう》人的《じんてき》な走力をもっていた。

しのびとらのまき

無音の歩行術「深草兎歩《しんそうとほ》」長距離走《ちょうきょりそう》の「二重息吹《ふたえいぶき》」

「深草兎歩《しんそうとほ》」は、もっとも音がでない歩《ほ》行術《こうじゅつ》とされる。しゃがんで手を地面につけ、その手の上に足をのせてすすむ。ねている人をおこさずに、すぐそばをとおるときなどにつかわれる。

「二重息吹《ふたえいぶき》」は、長距離走《ちょうきょりそう》でつかわれる、特殊《とくしゅ》な呼吸法《こきゅうほう》。これは、「すう・はく・はく、すう・はく、すう・すう・はく」という変則的《へんそくてき》なリズムで息をする方法で、多くの酸素《さんそ》をとりこむことで、息があがらずにはしりつづけられる。

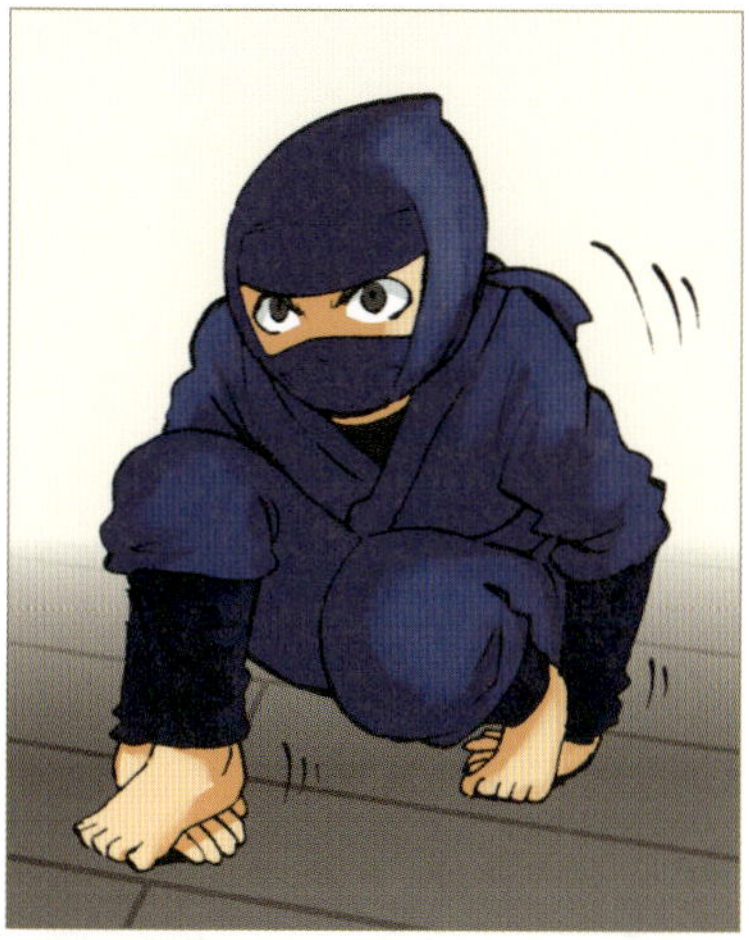

忍《にん》術《じゅつ》

跳《ちょう》躍《やく》術《じゅつ》

✦用《よう》途《と》

- 高所にとびあがる
- 高所からとびおりる
- 屋根や木々《きぎ》をとびうつる

超人的《ちょうじんてき》なジャンプ力
任務遂行《にんむすいこう》にかかせない術《じゅつ》

高所にとびあがり、高所からとびおりる術《じゅつ》。上方向だけでなく、前後左右を自在《じざい》にとびわける技《わざ》もある。跳躍術《ちょうやくじゅつ》は、きたえぬかれた脚力《きゃくりょく》と、高所でもひるまない精神力《せいしんりょく》を必要とする。

跳躍術《ちょうやくじゅつ》のひとつ、「飛猿《ひえん》」は、野生の猿《さる》を手本にして木々《きぎ》を自《じ》在《ざい》にとびうつる忍術《にんじゅつ》だ。伊賀忍《いがにん》者《じゃ》の下柘植《しもつげ》の木猿《きざる》は、この飛猿《ひえん》を会得《えとく》していたとみられる。

「跳《と》び六法《ろっぽう》」は、真田忍者《さなだにんじゃ》の唐《から》沢玄蕃《さわげんば》がつかったという術《じゅつ》で、高跳《たかと》びや幅跳《はばと》びなど六種類の跳《ちょう》躍《やく》で、人間ばなれした飛距離《ひきょり》をだしたとされる。

ほかにも、「とび加藤《かとう》」とよばれた加藤段蔵《かとうだんぞう》などが高度な跳《ちょう》躍術《やくじゅつ》を会得《えとく》していたが、並《なみ》の忍《にん》者《じゃ》でも、幅跳《はばと》びで五メートル、高跳《たかと》びで三メートルをジャンプし、十五メートルの高さからとびおりたとされる。その修行《しゅぎょう》は、成長のはやい植物の麻《あさ》の上を毎日とびこえたり、毎日すこしずつほりさげた穴《あな》のなかからジャンプで脱出《だっしゅつ》したりするなど、努力のつみかさねが必要だった。

高所からとびおりるときは、恐怖心《きょうふしん》の克服《こくふく》が不可欠《ふかけつ》である。忍術書《にんじゅつしょ》『万川集海《まんせんしゅうかい》』には、恐怖《きょうふ》やまよいは忍者《にんじゃ》にとっては病気のようなもので、精神力《せいしんりょく》の鍛錬《たんれん》が肝心《かんじん》だとしるされている。

しのびとらのまき

戦国時代のパラシュート？ とびおり術《じゅつ》の「地降傘《じおりがさ》」

高い場所からとびおりるときにつかう、「地降傘《じおりがさ》」という術《じゅつ》がある。これは、羽織《はおり》などの布《ぬの》を頭上にかかげてとびおり、パラシュートのように空気をうけて、落下速度をおさえるというものだ。

実際《じっさい》には、羽織程度《はおりていど》の布《ぬの》の大きさでは、ふわりと落下することはできなかっただろう。しかし、地降傘《じおりがさ》の術《じゅつ》をつかうことで、落下や着地のときにうまれる恐怖心《きょうふしん》がやわらぐという、精神的《せいしんてき》な効果《こうか》はあったとみられている。

登術《とうじゅつ》

✦用《よう》途《と》

・壁《かべ》や塀《へい》をのりこえる
・城《しろ》に外からのぼる

指先の力と登器《とうき》を駆使《くし》し高い場所へとのぼる術《じゅつ》

壁《かべ》や塀《へい》、城《しろ》の石垣《いしがき》などをのぼる術《じゅつ》。指先をはじめとする全身の筋力《きんりょく》をつかってのぼるほか、高所にのぼるための道具である登器《とうき》もさまざまある。

基本的《きほんてき》な登術《とうじゅつ》に、忍び刀《しのびがたな》をつかう方法がある。たとえば、塀《へい》にのぼるとき、忍び刀《しのびがたな》を塀《へい》にたてかけ、刀の鍔《つば》を足場にする。のぼったあとは、下緒《さげお》をたぐりよせて、刀をひきあげる。

鉤縄《かぎなわ》は、忍者《にんじゃ》たちがかならず携帯《けいたい》したという登器《とうき》だ。先端《せんたん》の鉤《かぎ》をなげあげて枝《えだ》や窓《まど》などにひっかけ、縄《なわ》をつたってのぼる。

城《しろ》の石垣《いしがき》をのぼるときには、苦無《くない》や五寸釘《ごすんくぎ》などを、石垣《いしがき》のすき間にさしこんで足場にする。のぼっているときに石の破片《はへん》や土をおとすと音をたてるので、それらを回収《かいしゅう》する袋《ふくろ》も携帯《けいたい》したという。

はしごは、もっとも便利で確《かく》実《じつ》な登器《とうき》だが、長いはしごをもちあるけばあやしまれてしまう。そこで忍者《にんじゃ》たちは、侵入《しんにゅう》場所に竹の棒《ぼう》と木片《もくへん》をもちこみ、結梯《むすびばしご》というはしごをその場でくみあげた。結梯《むすびばしご》の上下は藁《わら》でつつんで、たてかけるときに音がたたないように工夫した。

巻梯《まきばしご》というはしごは、縄《なわ》に木《もく》片《へん》をむすびつけたもので、小さくまとめてもちはこびやすい。

しのびとらのまき

きびしい特訓「虎之爪《とらのつめ》」で指先の力を鍛錬《たんれん》

忍者《にんじゃ》たちは、素手《すで》で石垣《いしがき》をのぼったり、指だけで天井《てんじょう》にとりついたりできるように、指先を鍛錬《たんれん》してきたえあげた。

虎之爪《とらのつめ》という訓練法は、約三十センチメートル四方の箱に砂《すな》をつめ、そこに指先をつきこむというものだ。これができるようになると、つぎに、砂利《じゃり》や粘土《ねんど》を箱につめて、おなじ動作をくりかえした。

つねに指の力をきたえていた忍者《にんじゃ》は、指だけで六十キログラムの米俵《こめだわら》をもちあげることもできたという。

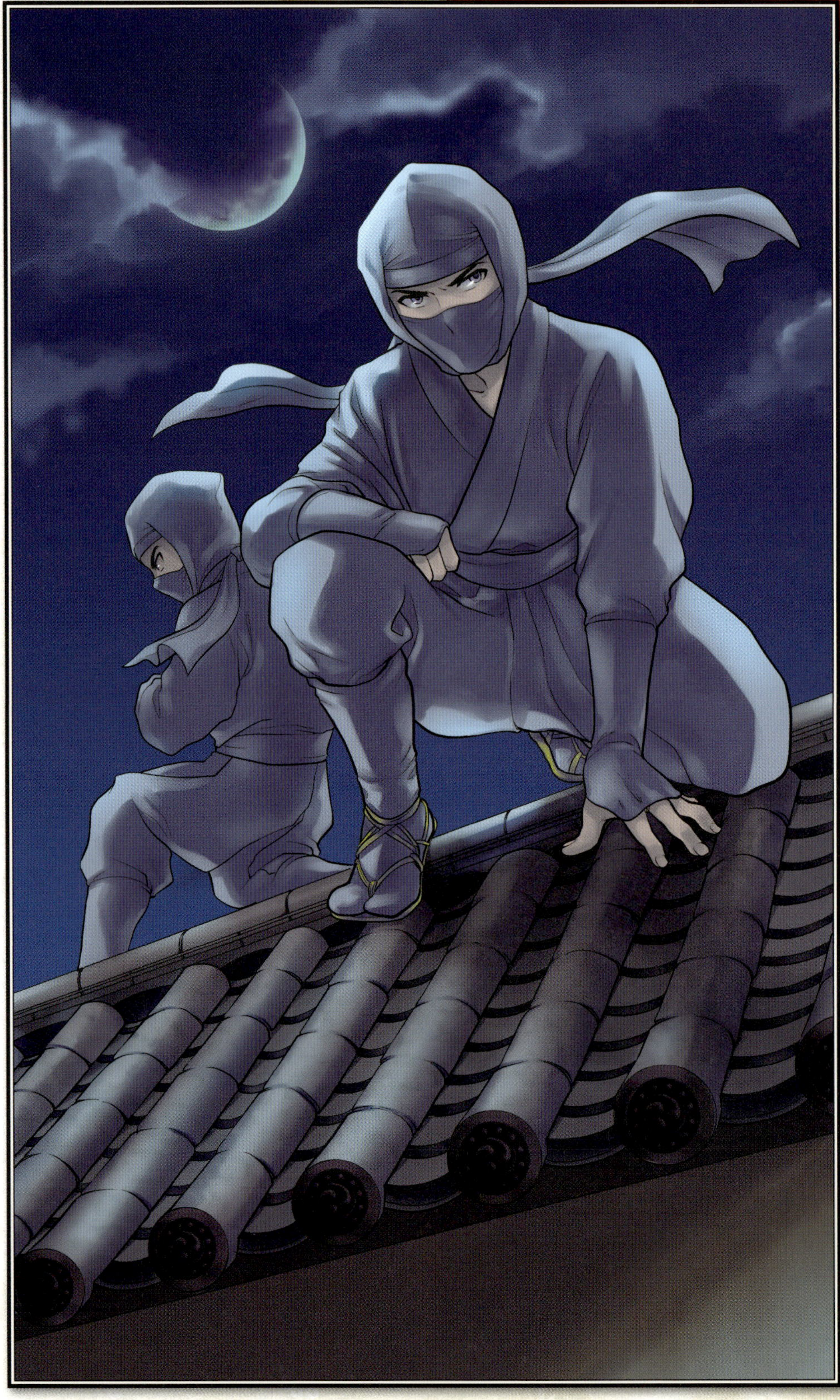

忍《にん》術《じゅつ》

侵《しん》入《にゅう》術《じゅつ》

用《よう》途《と》

- 情報収集《じょうほうしゅうしゅう》
- 暗殺
- 内部攪乱《かくらん》

気づかれずにしのびこむ 侵入《しんにゅう》の極意《ごくい》「入虚《にゅうきょ》の術《じゅつ》」

敵《てき》の城内《じょうない》や家屋に、こっそりとしのびこむ、忍者《にんじゃ》の任務《にんむ》に必須《ひっす》の技術《ぎじゅつ》。「入虚《にゅうきょ》の術《じゅつ》」ともいい、時間や状況《じょうきょう》をみきわめることに極意《ごくい》がある。

忍術書《にんじゅつしょ》の『万川集海《まんせんしゅうかい》』では、侵入《しんにゅう》に最適《さいてき》な時間帯として、人がねしずまった夜間をねらうことを推奨《すいしょう》している。しかも、通常《つうじょう》の夜間ではなく、人がふかくねむるような状況《じょうきょう》をみきわめるべきとある。たとえば、婚礼《こんれい》や遊興《ゆうきょう》で多量の酒をのんだ日や、肉体労働をしていた日、病気にかかっているときや、死者がでるなどの変事がおきた日などがあげられる。

敵城《てきじょう》にしのびこむ場合は、合戦直後の混乱時《こんらんじ》や、長距離《ちょうきょり》を行軍してきたあとなど、疲労《ひろう》やいそがしさで防御《ぼうぎょ》が手薄《てうす》になるタイミングをねらう。合戦をおえた敵兵《てきへい》のうしろに、影《かげ》のようにぴったりとくっついて城門《じょうもん》をとおりぬける、「如景《じょけい》の術《じゅつ》」という技《わざ》もある。

家屋にしのびこむ方法には、地面に穴《あな》をほってはいりこむ「穴蜘蛛地蜘蛛《あなぐもじぐも》」や、屋根に穴《あな》をあけてしのびこむ「天蓋破《てんがいやぶ》り」などがある。頑丈《がんじょう》につくられた土蔵《どぞう》は、土蔵《どぞう》の下部の腰巻《こしまき》とよばれる部分をはがす「腰巻《こしまき》はがし」という術《じゅつ》をつかう。

しのび とらのまき

敵《てき》がねしずまる夜間の侵入《しんにゅう》 本当にねているかの判別法《はんべつほう》

敵《てき》が本当に熟睡《じゅくすい》しているのかをみきわめなければ、危険《きけん》がおよぶ。忍者《にんじゃ》たちは、いびきの音などから、それを判別《はんべつ》した。『万川集海《まんせんしゅうかい》』によれば、ねむったふりをした人がかくいびきは不安定で、ときどきツバをのみこむ音や、ためいきがもれるとある。一方、熟睡《じゅくすい》している人のいびきは、ととのっているという。いびきをかいていない場合は、米粒《こめつぶ》を相手の顔におとして、筋肉《きんにく》のうごきを観察するなどの方法があげられている。

忍《にん》術《じゅつ》

隠《いん》法《ほう》

用《よう》途《と》

- ものかげでようすをうかがう
- 追手をやりすごす

煙《けむり》のごとくドロンと消失 敵《てき》から身をかくす術《じゅつ》

しのびこんだ先で、運わるく敵《てき》に気づかれたとき、忍者《にんじゃ》はいろいろな方法で身をかくした。敵《てき》にとっては、あっという間にすがたをかくす忍者《にんじゃ》が、まるできえたようにみえたことだろう。

隠法《いんぽう》のひとつ「観音隠れ《かんのんがくれ》」は、壁《かべ》ぎわや木のかげなどに身をかくして、袖《そで》で顔をおおい、観音《かんのん》像《ぞう》のようにうごかずにじっとしているという術《じゅつ》だ。敵《てき》が間近にせまっても、平静をたもち、気《け》配《はい》をけすことで、気づかれることはなかったという。

「鶉隠れ《うずらがくれ》」は、地面にうずくまってうごかずにいる方法。手足をちぢめて丸くなったようすがウズラとにているので、この名でよばれる。身をかくすものがなにもないときの手段《しゅだん》だが、闇夜《やみよ》のなかでは効果的《こうかてき》だ。

山林では、木にのぼって息をひそめる「狸隠れ《たぬきがくれ》」をもちいる。木の葉をまとって木陰《こかげ》にひそむ術《じゅつ》は「木《こ》の葉隠れ《はがくれ》」という。

水辺では、頭に木の葉や藻《も》などをのせて水中にもぐる「狐隠《きつねがく》れ」で身をかくした。

忍者《にんじゃ》といえども、敵《てき》から身をかくしているときには、恐怖心《きょうふしん》をいだいたという。それでも彼《かれ》らは、呪文《じゅもん》をとなえるなどして心をおちつかせ、じっとかくれつづけた。

しのびとらのまき

扇子《せんす》ひとつですがたをけす 服部半蔵《はっとりはんぞう》の「扇子隠れ《せんすがくれ》」

伊賀忍者《いがにんじゃ》の頭領《とうりょう》、服部半蔵《はっとりはんぞう》は、「扇子《せんす》隠《がく》れ」という技《わざ》をつかったとされる。これは、相手の目の前でバッと扇子《せんす》をひらいておどろかし、その扇子《せんす》をひらりとおとして注目させて、すきをついてすがたをけすというものだ。

小道具をもちいてにげる技《わざ》に、「楊枝《ようじ》隠《がく》れ」というものもある。目の前でつまようじをはねとばし、相手がそちらに気をとられている一瞬《いっしゅん》をねらって身をかくすのだという。

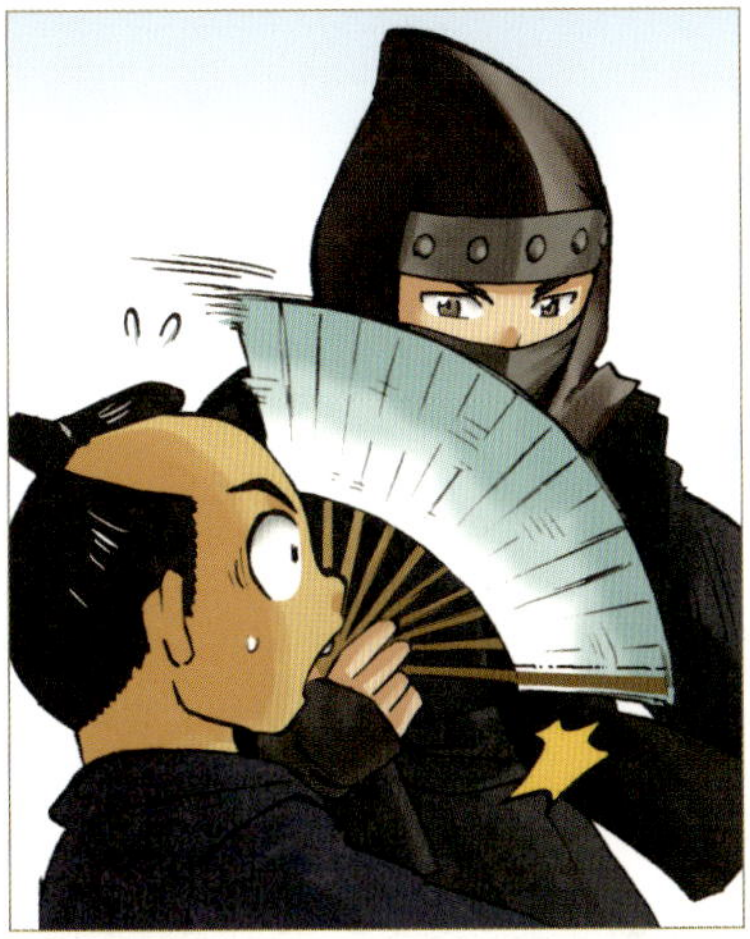

忍《にん》術《じゅつ》

気《け》配《はい》消《しょう》失《しつ》術《じゅつ》

用《よう》途《と》

・敵《てき》の間近にひそむ
・気づかれずに移動《いどう》する

あらゆる気配《けはい》をけしさる
忍《しの》び技《わざ》の極意《ごくい》「三無忍《さんむにん》」

気配《けはい》をけしさり、敵《てき》に気づかれないようにする術《じゅつ》。「三無《さんむ》忍《にん》」という技《わざ》があり、足音をけす「無足忍《むそくにん》」、呼吸音《こきゅうおん》をけす「無息忍《むそくにん》」、においをけす「無臭《むしゅう》忍《にん》」の三つをさす。

「無足忍《むそくにん》」は、足音をたてずにあるくことで、浮《う》き足《あし》や、深草《しんそう》兎歩《とほ》などの歩行術《ほこうじゅつ》をもちいる。落ち葉の多い山中をすすむときや、ねむっている人の枕元《まくらもと》をとおりすぎるときなど、状況《じょうきょう》におうじてさまざまな歩行術《ほこうじゅつ》をつかいわけた。

「無息忍《むそくにん》」は、音をたてない呼《こ》吸法《きゅうほう》のこと。修行《しゅぎょう》しないと会得《えとく》することができない特殊《とくしゅ》な呼吸《こきゅう》法《ほう》で、達人になると、体をはげしくうごかしたあとでも、いっさいの音や鼻息をたてずに、しっかりと呼吸《こきゅう》することができたという。

「無臭忍《むしゅうにん》」は、体臭《たいしゅう》や口臭《こうしゅう》をけすこと。忍者《にんじゃ》は、ふだんから、ニンニクやネギなどのにおいの強い食材や、汗《あせ》をかきやすい料理をとらないようにして、体臭《たいしゅう》をおさえていたという。また、口臭《こうしゅう》をふせぐときには、炒《い》ったハトムギを口にふくんだり、ネズミモチという木の実をかんだりした。これらを口にすると唾《だ》液《えき》がでやすく、唾液《だえき》には、口臭《こうしゅう》をおさえる効果《こうか》がある。

しのびとらのまき

呼吸音《こきゅうおん》をけす「無息忍《むそくにん》」その修行《しゅぎょう》方法とは？

「無《む》息忍《そくにん》」は、整息法《せいそくほう》とよばれる、つぎの呼吸法《こきゅうほう》をきわめることで会得《えとく》する。

まず、背筋《せすじ》をのばしてすわり、精神統《せいしんとう》一《いっ》する。つぎに、線香《せんこう》の煙《けむり》のようにほそく長く息をすいこみ、息をとめる。そして、全身に空気がめぐって気力体力が充《じゅう》実《じっ》していくイメージをしてから、しずかに息をはきだす。これをくりかえす。

この整息法《せいそくほう》で、鼻先に羽毛や紙をつけて、ゆれないように呼吸《こきゅう》できれば、「無《む》息忍《そくにん》」が会得《えとく》できた証《あかし》だ。

逃走術《とうそうじゅつ》

用途《ようと》

・敵《てき》からにげる
・自陣《じじん》に生還《せいかん》する

気象や地形を利用して 敵《てき》からにげきる「遁法《とんぽう》」

忍者《にんじゃ》の使命は、さぐりだした情報《じょうほう》を味方に知らせることにある。もしも敵《てき》にみつかったら、たたかうよりも、にげることを優先《ゆうせん》しなければならない。その敵《てき》からにげるための逃走術《とうそうじゅつ》を遁《とん》法《ぽう》といい、大きくわけて「天《てん》遁《とん》」「地遁《ちとん》」「人遁《じんとん》」の三種類がある。

「天遁《てんとん》」は、自然現象《げんしょう》を利用する術《じゅつ》だ。雷鳴《らいめい》や突風《とっぷう》に相手がひるんだすきをついたり、太陽を背《せ》にして敵《てき》の目をくらませたりして、逃走《とうそう》する。

「地遁《ちとん》」は、火や水や草などを利用する術《じゅつ》をさす。有名な「火《か》遁《とん》の術《じゅつ》」は、火をはなってにげるというもの。「水遁《すいとん》の術《じゅつ》」は、池にもぐって追手をやりすごすなど、水を利用する。水遁《すいとん》には、池に石をなげいれてとびこんだとみせかけ、逆方向《ぎゃくほうこう》ににげるといった技《わざ》もある。ほかにも、煙《えん》幕《まく》を利用する「煙遁《えんとん》」、草をむすんだ罠《わな》で追手をころばせる「草遁《そうとん》」などがある。

「人遁《じんとん》」は、人や生き物を利用する術《じゅつ》。人ごみのなかにまぎれこんだり、髪形《かみがた》や服装《ふくそう》をかえて印象をかえたりすることで、追手からのがれることができる。また、敵《てき》の馬に吹《ふ》き矢《や》をあててあばれさせ、そのすきににげるなどの技《わざ》もある。

しのびとらのまき

逃走時《とうそうじ》に便利な道具「まき菱《びし》」と「目つぶし」

忍者《にんじゃ》が敵《てき》からにげるときにつかう道具に、「まき菱《びし》」と「目つぶし」がある。まき菱《びし》は、小さくてとがった形をしていて、道にばらまけば追手がふみつけて、その足をとめることができる。まき菱《びし》をまきながらにげることを「菱《ひし》まき退《の》き」という。

目つぶしは、敵《てき》の顔面に砂《すな》や粉などをあびせかけて、視界《しかい》をうばう技《わざ》だ。より攻撃的《こうげきてき》に、唐辛子《とうがらし》や鉄粉、皮膚《ひふ》をかぶれさせる薬などもつかわれた。

忍術《にんじゅつ》

変装術《へんそうじゅつ》

✦用途《ようと》
・あやしまれず敵地《てきち》に潜入《せんにゅう》
・ありふれた職業《しょくぎょう》に扮装《ふんそう》

変装《へんそう》しやすい職種《しょくしゅ》「七方出《しちほうで》」

虚無僧《こむそう》

尺八《しゃくはち》をふきながら諸国《しょこく》を行脚《あんぎゃ》した僧《そう》。

出家《しゅっけ》

僧侶《そうりょ》のこと。全国各地にいるため、めだたない。

山伏《やまぶし》

山中にこもって仏教《ぶっきょう》の修《しゅ》行《ぎょう》をする修験者《しゅげんじゃ》。

すがたをかえて敵地《てきち》に潜入《せんにゅう》
別人になりきる「七方出《しちほうで》」

敵地《てきち》にいても不自然ではないように変装《へんそう》する術《じゅつ》。三大忍術書《にんじゅつしょ》のひとつ『正忍記《しょうにんき》』に、あやしまれにくい七つの職種《しょくしゅ》の「七方《しちほう》出《で》」がしるされている。

人目につかない任務《にんむ》の「陰《いん》忍《にん》」の際《さい》には、覆面《ふくめん》をした忍《しの》び装束《しょうぞく》などを着用するが、人目につく任務《にんむ》の「陽忍《ようにん》」のときは、道中や街中にまぎれこみやすい、職業《しょくぎょう》をもつ人物に変装《へんそう》した。

その職業《しょくぎょう》の「七方出《しちほうで》」とは、虚無僧《こむそう》、出家《しゅっけ》、山伏《やまぶし》、商人、放《ほう》下師《かし》、猿楽《さるがく》、常《つね》の形《かた》をさす。これらの職業《しょくぎょう》に変装《へんそう》するときは、外見だけでなく、実際《じっさい》にその仕事をおぼえて身につけた。さらに、方言などの言葉づかいや体の姿勢《しせい》、服につくにおい、髪形《かみがた》や表情《ひょうじょう》など、あらゆることまで気をくばり、その人物になりきったとされる。

数名の忍者《にんじゃ》は、高度な変装術《へんそうじゅつ》で、その名をのこしている。上《うえ》杉《すぎ》の忍者《にんじゃ》、中西某《なかにしなにがし》は、老人の農民になりきって、堂々《どうどう》と敵陣《てきじん》のなかへはいりこんだ。伊賀忍者《いがにんじゃ》の楯岡道順《たておかどうじゅん》は、物乞《ものご》いに変装《へんそう》してあわれみをさそい、敵地《てきち》ふかくに潜入《せんにゅう》している。真田忍者《さなだにんじゃ》の割田重勝《わりたしげかつ》は、馬の餌売《えさう》りにばけて敵将《てきしょう》に接近《せっきん》し、その名馬をうばってしまうという大胆《だいたん》な行動をとっている。

薬などを行商する人。各地をまわって物をうる。

手品や曲芸などをみせる大道芸人のこと。

能楽《のうがく》などをする芸人。能《のう》楽《がく》はおもな娯楽《ごらく》だった。

町人や農民など、一般庶《いっぱんしょ》民《みん》のすがたのこと。

忍術《にんじゅつ》

火術《かじゅつ》

用途《ようと》

- 効果的《こうかてき》に火をはなつ
- 火や煙《けむり》や爆発音《ばくはつおん》をつかう

攻撃《こうげき》にも防御《ぼうぎょ》にも活用
火と火薬をつかいこなす術《じゅつ》

火や煙《けむり》、爆発音《ばくはつおん》をもちいる術《じゅつ》。攻撃《こうげき》だけではなく、敵《てき》をおどろかせたり、自分の身を守ったりするためにもつかう。

忍者《にんじゃ》がもちいる火術《かじゅつ》は、放火や爆撃《ばくげき》で敵《てき》に直接的《ちょくせつてき》な損害《そんがい》をあたえるものばかりではない。むしろ、音や火花で敵《てき》をひるませたり、大量の煙《けむり》を発生させて敵《てき》を混乱《こんらん》させたりといった、間接《かんせつ》的《てき》な効果《こうか》をねらった術《じゅつ》が多い。これらは、人が本能的《ほんのうてき》に火をおそれるという心理を利用したものだという。

あらゆるものに放火し、効果《こうか》的《てき》に炎上《えんじょう》させるのは、忍者《にんじゃ》が得意とした火術《かじゅつ》のひとつだ。北条《ほうじょう》氏《し》の忍者集団《にんじゃしゅうだん》、風魔党《ふうまとう》は、敵陣《てきじん》に毎夜奇襲《きしゅう》をかけて放火をくりかえし、敵《てき》をおびえさせた。

火遁《かとん》の術《じゅつ》は、火を利用してにげる術《じゅつ》をいう。戦場では、火遁《かとん》の術《じゅつ》のひとつの「百雷銃退《ひゃくらいじゅうの》き」という術《じゅつ》で、退却《たいきゃく》の時間をかせいだ。これは、百雷銃《ひゃくらいじゅう》という、連続して爆発音《ばくはつおん》がなる爆竹《ばくちく》のような火器《かき》をつかって、鉄砲隊《てっぽうたい》がまちぶせしているかのようにみせかけるというものだ。

敵《てき》にかこまれた場合は、「鳥《とり》の子《こ》」という、煙《けむり》と音がでる火薬玉を爆発《ばくはつ》させておどろかせ、煙《けむり》にまぎれてその場から逃走《とうそう》したといわれる。

しのびとらのまき

忍者《にんじゃ》が偶然《ぐうぜん》に発見？ 硝石《しょうせき》をつくりだす方法

火術《かじゅつ》にもちいる火薬は、硝石《しょうせき》と硫黄《いおう》、炭などをまぜてつくられる。このうち、もっとも重要な材料の硝石《しょうせき》は、日本ではとれないため、海外から輸入《ゆにゅう》した。

ところが、忍者《にんじゃ》たちは、硝石《しょうせき》のつくりかたを知っていたという。ヨモギに尿《にょう》をかけて発酵《はっこう》と熟成《じゅくせい》をくわえると硝石《しょうせき》が生成されることを、独自《どくじ》に発見したのだ。彼《かれ》らはこれに、樟脳《しょうのう》や松ヤニ、ネズミの糞《ふん》や馬糞《ばふん》などを絶妙《ぜつみょう》に配合して、思いのままの火力を手にいれた。

忍《にん》術《じゅつ》

水《すい》術《じゅつ》

✦用《よう》途《と》

- 堀《ほり》や川をわたる
- 水にもぐってかくれる

水をわたってひそかに侵入《しんにゅう》
水中にもぐってにげのびる

水辺でもちいる術《じゅつ》。水を利用してかくれたり、堀《ほり》や川などをおよいで敵地《てきち》に侵入《しんにゅう》したりするときにつかう。

多くの城《しろ》は、敵《てき》の侵入《しんにゅう》をはばむため、周囲の土をほりさげて大量の水をそそぎこんだ、堀《ほり》をそなえている。また、天然の川が堀《ほり》になるように築城《ちくじょう》されたものもある。忍者《にんじゃ》たちはこれらの堀《ほり》をこえて侵入《しんにゅう》するために、さまざまな術《じゅつ》をあみだしている。

およいで堀《ほり》をわたる場合は、水音がたちにくい、抜《ぬ》き手《て》という独特《どくとく》な泳法をつかった。これは、上半身はクロール、下半身は平泳ぎのようにうごかして、顔を水上にだしたままにするというおよぎかただ。

体力を温存《おんぞん》したいときは、獣《けもの》の腸や革袋《かわぶくろ》に空気をいれた浮玉《うきだま》を身につけておよぐ。また、さむい時期には、シキミという木の実の油を体にぬって水をはじき、こごえるのをふせいだ。

敵《てき》に発見されたとき、水中にかくれる技《わざ》を、「狐隠《きつねがく》れ」という。長時間にわたって水中にひそむときは、くわえた竹筒《たけづつ》を水の上にだして、そっと呼吸《こきゅう》をする。忍術書《にんじゅつしょ》『水鏡《みずかがみ》』には、刀の鞘《さや》の先端《せんたん》に穴《あな》をあけ、水中でこれをくわえて息をするという技《わざ》がしるされている。

しのびとらのまき

忍者《にんじゃ》がもちいた潜水《せんすい》用具
酸素《さんそ》ボンベの「息袋《いきぶくろ》」

忍者《にんじゃ》たちは、水中にもぐって偵察《ていさつ》や破《は》壊《かい》工作をするための潜水《せんすい》用具、「息袋《いきぶくろ》」を考案した。長さ約三十センチメートルほどの革袋《かわぶくろ》の一端《いったん》に三本の管がつけてあり、一本を口にくわえ、二本はふたつの鼻の穴《あな》にさしこむ。水中では口から袋《ふくろ》のなかの空気をすいこみ、鼻から息をだして袋《ふくろ》にもどすというつかいかただ。

海戦では、これをもちいて海中から敵《てき》の船に接近《せっきん》し、碇《いかり》をきって制御《せいぎょ》不能《ふのう》にしたのだという。

忍術《にんじゅつ》

体術《たいじゅつ》

✦用途《ようと》

・武器《ぶき》なしで敵《てき》とたたかう
・敵《てき》のうごきをふうじる
・敵《てき》の戦意《せんい》をうばう

体術《たいじゅつ》のひとつ「柔術《じゅうじゅつ》」の技《わざ》の一例

逆投《さかなげ》

腕《うで》の関節を極《き》めながらなげる。

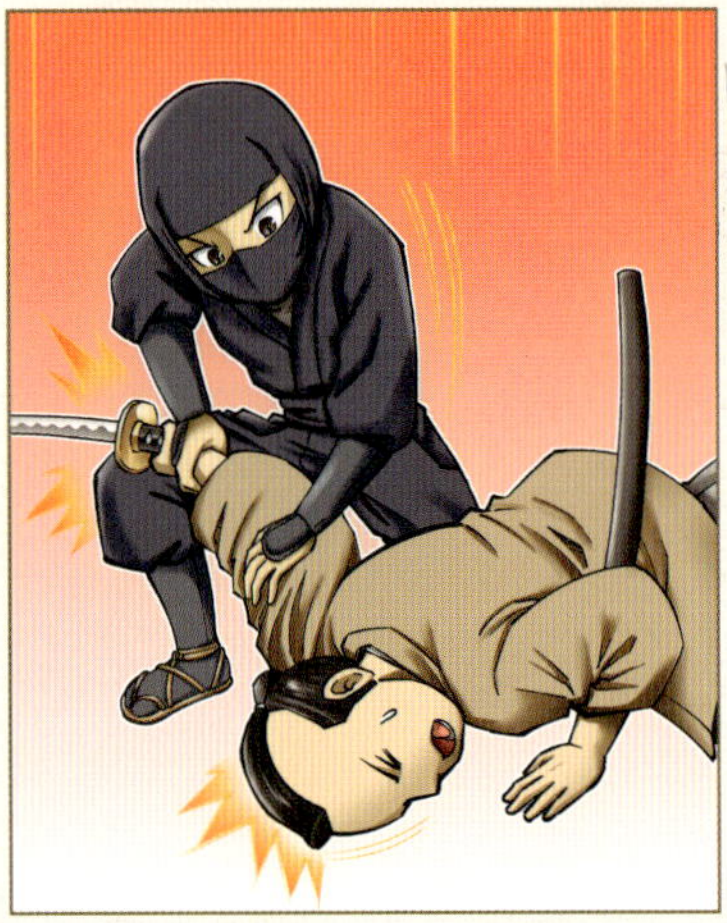

太《た》刀《ち》捕《どり》

相手の刀をふうじる。

古武道《こぶどう》の「柔術《じゅうじゅつ》」が主体 武器《ぶき》をつかわない格闘術《かくとうじゅつ》

武器《ぶき》をつかわず、打撃《だげき》や投げ、固《かた》め技《わざ》などを駆使《くし》して、敵《てき》と格《かく》闘《とう》する術《じゅつ》。柔術《じゅうじゅつ》、骨法《こっぽう》、気合術《きあいじゅつ》など、日本の古武道《こぶどう》をもちいたとされる。

柔術《じゅうじゅつ》は、武士《ぶし》たちも武芸《ぶげい》のひとつとしてまなんだ、日本古来の体術《たいじゅつ》である。突《つ》き技《わざ》・投《な》げ技《わざ》・絞《し》め技《わざ》・極《き》め技《わざ》などを網羅《もうら》し、目《め》突《つ》きや金的《きんてき》蹴《げ》りといった急所攻撃《こうげき》もおこなう、実戦を想定した総合格闘技《そうごうかくとうぎ》だ。刀をもった敵《てき》とのたたかいかたや、背後《はいご》からおそわれたときの反撃法《はんげきほう》、すわった状態《じょうたい》からの格闘法《かくとうほう》などもあり、忍者《にんじゃ》の任務《にんむ》にもっとも合致《がっち》した格闘術《かくとうじゅつ》といえる。なお、柔道《じゅうどう》や合気道《あいきどう》は、この柔術《じゅうじゅつ》をもとにして明治《めいじ》時代以降《いこう》につくられた、現代武道《げんだいぶどう》だ。

骨法《こっぽう》は、手や肘《ひじ》、膝《ひざ》などで相手をうちすえる、打撃技《だげきわざ》をつかう体術《たいじゅつ》。打撃《だげき》をくわえる角度や力《ちから》加減《かげん》によっては、相手を一撃《いちげき》で失神させることもできる。

気合術《きあいじゅつ》は、気迫《きはく》をぶつけて相手をたおすという体術《たいじゅつ》。遠くにいる相手を、気合のみでたおす「遠当《とおあ》ての術《じゅつ》」や、気合をかけて相手をまったくうごけなくする「不動金縛《ふどうかなしば》りの術《じゅつ》」などがあったともいわれるが、その実態《じったい》がどのようなものだったか、さだかではない。

居捕《いどり》

すわった状態《じょうたい》からの技《わざ》。

当身《あてみ》

相手の急所をねらう技《わざ》。

忍術《にんじゅつ》

呪文《じゅもん》

用途《ようと》

・集中力を高める
・邪気《じゃき》をはらう
・神仏《しんぶつ》の加護《かご》をもとめる

神仏《しんぶつ》の加護《かご》で難局《なんきょく》を打破《だは》 ここぞのときにとなえる呪文《じゅもん》

集中力を高めたり、邪気《じゃき》をはらったりするときにとなえる呪《じゅ》文《もん》。指をくんでつくる「印《いん》」とあわせてとなえるものもある。

忍者《にんじゃ》がつかった呪文《じゅもん》は、軍神の摩利支天《まりしてん》など、仏教《ぶっきょう》の神仏《しんぶつ》に加護《かご》をねがってとなえるものが多い。摩利支天《まりしてん》は、毛利元就《もうりもとなり》や前田利家《まえだとしいえ》など、名だたる武将《ぶしょう》たちも熱心に信仰《しんこう》した、戦勝をつかさどる守護神《しゅごしん》だ。

すがたがきえたかのように気《け》配《はい》をなくす、「オン・アニチ・マリシエイ・ソワカ」という呪《じゅ》文《もん》がある。これは、摩利支天《まりしてん》にねんじて邪気《じゃき》をはらい、厄災《やくさい》からまぬかれるという意味をもつ。

九字護身法《くじごしんほう》は、代表的な忍者《にんじゃ》の呪文《じゅもん》で、気をしずめ、集中力を高めるときにつかう。「臨《りん》・兵《ぴょう》・闘《とう》・者《しゃ》・皆《かい》・陣《じん》・烈《れつ》・在《ざい》・前《ぜん》」ととなえて神々《かみがみ》の守護《しゅご》をうけるというもので、印《いん》をむすぶ方法と、空中にすばやく線をかく方法がある。

困難《こんなん》な状況《じょうきょう》をのりこえるときには、「カンマンホロホン」という呪文《じゅもん》をもちいる。自分のおでこに、指でカンマンホロホンとカタカナで文字をなぞってから、「天下鳴弦雲上帰命頂来《てんかめいげんうんじょうきみょうちょうらい》」と二回となえれば、神仏《しんぶつ》の加護《かご》をうけて、難局《なんきょく》を突破《とっぱ》することができるという。

しのび とらのまき

手に文字をかいてのみこむ「十字《じゅうじ》の秘術《ひじゅつ》」

緊張《きんちょう》をほぐすときに「人」の字を手になぞってのみこむというまじないがあるが、これとまったくおなじ動作をおこなう、「十字《じゅうじ》の秘術《ひじゅつ》」という技《わざ》がある。

十字《じゅうじ》の秘術《ひじゅつ》では、「天」の文字を手になぞってのみこむと、緊張《きんちょう》がほぐれるとされる。「王」の文字をなぞってのみこめば、練習の成果を本番で発揮《はっき》できる。「虎《こ》」の文字は、無事に帰還《きかん》することができる。「是《ぜ》」の文字は、病気がはやくなおる効果《こうか》があるという。

九《く》字《じ》護《ご》身《しん》法《ほう》の印《いん》のむすびかた

九《く》字《じ》護《ご》身《しん》法《ほう》は、気をしずめ、集中力を高めるときにつかう呪文《じゅもん》です。両手の指をくんでつくる印《いん》とあわせて、精神統一《せいしんとういつ》しながらすばやくとなえます。

臨《りん》

普賢三摩耶印《ふげんさんまやいん》

左右の手をくみ、人さし指をたてる。

兵《ぴょう》

大金剛輪印《だいこんごうりんいん》

「臨《りん》」の印《いん》の状態《じょうたい》から、中指を人さし指の上でからませる。

闘《とう》

外獅子印《げじしいん》

両手をくみ、親指、薬指、小指をたてる。

者《しゃ》

内獅子印《ないじしいん》

左右の薬指を交差させて中指をからませ、親指、人さし指、小指をたてる。

皆《かい》

外縛印《げばくいん》

右手の親指がいちばん上にくるように、両手をくむ。

陣《じん》

内縛印《ないばくいん》

すべての指先を内側にかくすようにして手をくむ。

早《はや》九《く》字《じ》護《ご》身《しん》法《ぽう》について

九字護身法《くじごしんぽう》をよりはやくとなえるために、印《いん》を省略《しょうりゃく》したものが、早九字護《はやくじご》身法《しんぽう》です。右手を刀にみたてて、人さし指と中指の先で空中に線をひきながら、「臨《りん》・兵《びょう》・闘《とう》・者《しゃ》・皆《かい》・陣《じん》・烈《れつ》・在《ざい》・前《ぜん》」と呪文《じゅもん》をとなえます。

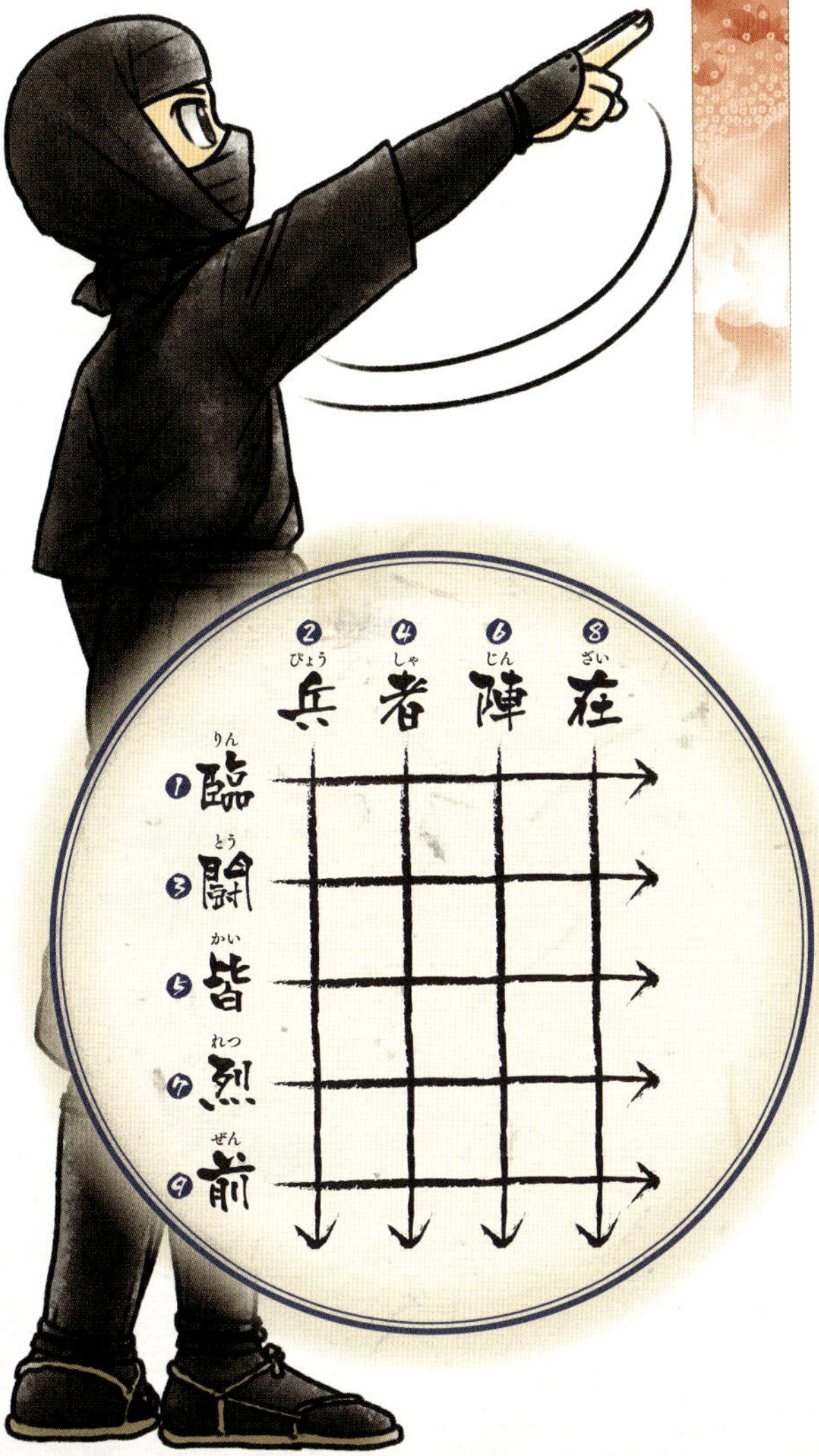

烈《れつ》

✕智拳印《ちけんいん》
左手の人さし指をたて、それを右手でにぎる。

在《ざい》

✕日輪印《にちりんいん》
左右の親指と人さし指の先をつけて、ほかの指はひらく。

前《ぜん》

✕隠形印《おんぎょういん》
にぎった左手の下に、右手をそえる。

忍術《にんじゅつ》

合言葉《あいことば》

用《よう》途《と》

- 敵《てき》と味方をみわける
- 味方だけがわかる合図

まちがえれば死を意味　敵《てき》と味方を識別《しきべつ》する技《わざ》

仲間同士であらかじめきめておく、合図の言葉。敵《てき》と味方をみわけるときにつかう。

敵《てき》のまっただなかにはいりこみ、暗闇《くらやみ》のなかで活動する忍者《にんじゃ》たちは、同士討《どうしう》ちをさけるため、合言葉《あいことば》をもちいて仲間かどうかを識別《しきべつ》した。合言葉《あいことば》は、任務《にんむ》のたびに変更《へんこう》され、忍者《にんじゃ》たちはそのつど、あたらしい合言葉《あいことば》をしっかりと記憶《きおく》したという。

もっとも有名な合言葉《あいことば》に、「山」ときかれて、「川」とこたえるものがある。ほかにも、月と日、山と林、海と塩、火と煙《けむり》などがつかわれた。また、花と吉野《よしの》、雲と富士《ふじ》のような、優雅《ゆうが》な合言葉《あいことば》もあったそうだ。

北条氏《ほうじょうし》に仕《つか》えた風魔小太郎《ふうまこたろう》は、合言葉《あいことば》などの合図に対して動作でこたえる、「立ちすぐり・居すぐり」をもちいた。小太郎《こたろう》が合図をだすと、仲間の忍者《にんじゃ》がいっせいにたったりすわったりするというもので、仲間になりすまして潜入《せんにゅう》していた敵《てき》の忍者《にんじゃ》はおなじうごきができず、すぐにあぶりだされたという。

割符《わりふ》という、味方をみわけるための道具もある。木の板などに絵や文字をかいて二つにわったもので、これを味方同士にもたせておき、であったときにつきあわせて、相手を確認《かくにん》する。

しのびとらのまき

仲間だけがわかる「隠語《いんご》」　特殊《とくしゅ》な用語で秘密《ひみつ》の会話

隠語《いんご》は、仲間内だけでつかわれる特殊《とくしゅ》な言葉だ。忍者《にんじゃ》たちは、身内の会話を他人がきいても意味がわからなくするために、隠語《いんご》をつかっていたという。

そのひとつが「伊賀《いが》」の隠語《いんご》だ。伊賀《いが》という言葉だけで忍者《にんじゃ》を連想させて、警戒《けいかい》されてしまうため、伊賀《いが》のことは「くり」といった。一説には、伊賀の発音から毬栗《いがぐり》を連想してできたものだという。

女性忍者《じょせいにんじゃ》のことを「くノ一《くのいち》」というのも、隠語《いんご》の一種なのだそうだ。

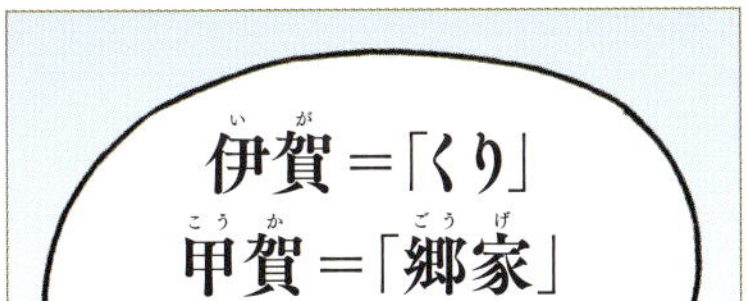

忍《にん》術《じゅつ》

情《じょう》報《ほう》伝《でん》達《たつ》術《じゅつ》

用《よう》途《と》

- 情報《じょうほう》を確実《かくじつ》につたえる
- 遠方に情報《じょうほう》をおくる

手紙よりもはやくとどく煙《けむり》や光をつかった通信《つうしん》術《じゅつ》

はなれた場所にいる仲間に情《じょう》報《ほう》をつたえる術《じゅつ》。戦国乱世《らんせい》では、敵《てき》のうごきをいちはやく知ることが国の将来《しょうらい》を左右したため、忍者《にんじゃ》たちは、命がけでさぐりだした情報《じょうほう》を、できるだけ早く、確実《かくじつ》につたえる方法をさまざまに工夫していた。

遠距離間《えんきょりかん》での情報《じょうほう》のやりとりにもちいられたのが、狼煙《のろし》と手旗だ。どちらも、みはらしのよい丘《おか》や山にのぼり、約四~八キロメートルごとにもうけられた仲間のいる中継点《ちゅうけいてん》にむかって煙《けむり》や手旗の合図をおくって、自国へと情報《じょうほう》をつたえた。夜間には、ろうそくのあかりをつかった飛《ひ》脚火《きゃくび》をもちいることで、かなりのスピードで情報《じょうほう》をつたえることができたという。

近距離間《きんきょりかん》で情報《じょうほう》をやりとりするときは、結縄《けつじょう》という方法をつかった。軒下《のきした》などにぶらさげた縄《なわ》を、特定の形にむすぶことで、「西へむかう」「待機する」などの情報《じょうほう》をあらわした。

米粒《こめつぶ》を五色にそめわけた、五《ご》色米《しきまい》という通信用の道具もある。色のくみあわせで暗号をつくり、道端《みちばた》などにおくことで、仲間に情報《じょうほう》をつたえたのだ。

ほかにも、小石や木の枝《えだ》をならべて合図をおくるという方法もつかわれた。

しのびとらのまき

ろうそくをもちいた通信機 精巧《せいこう》なつくりの「龕灯《がんどう》」

龕灯《がんどう》は、携帯用《けいたいよう》の照明器具だ。ちょうちんのように上下左右をてらすのではなく、龕灯《がんどう》をむけた方向だけをてらすので、自分のすがたをみられずにすむ。

内側には、回転するふたつの鉄の輪があり、龕灯《がんどう》をどのようにかたむけても、ろうそくがたおれないような工夫がこらされている。龕灯《がんどう》の正面に紙などをかざし、あかりを明滅《めいめつ》させてあらわす暗号で、かなり複雑《ふくざつ》な内容《ないよう》もつたえることができたという。

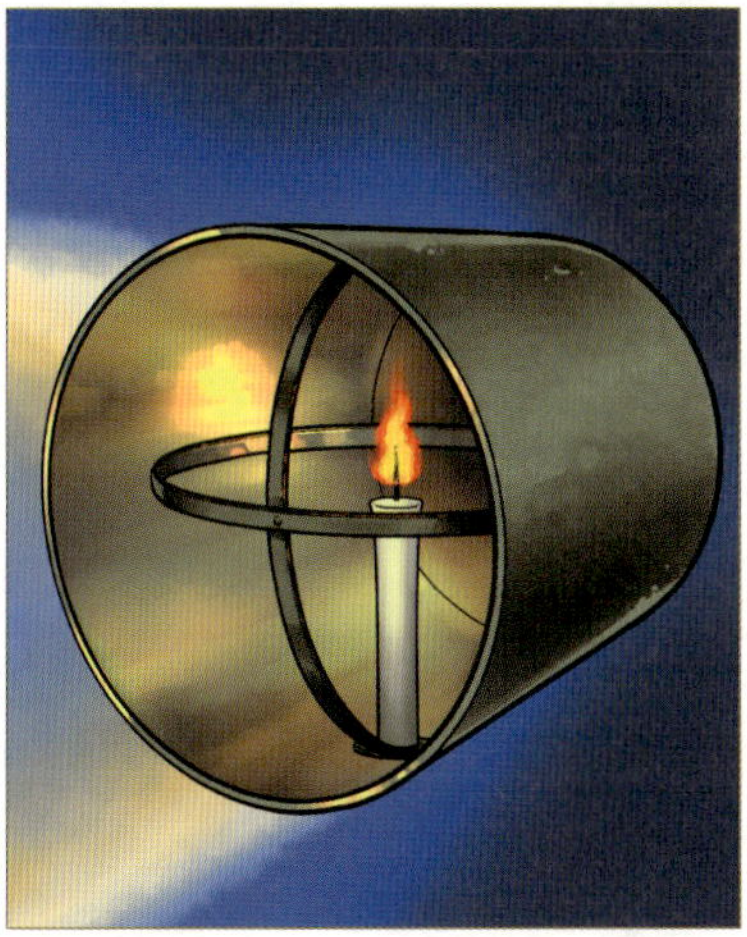

忍術《にんじゅつ》

忍《しの》び文《も》字《じ》

用《よう》途《と》

- 秘密《ひみつ》の文章をしるす
- 敵《てき》が解読《かいどく》できない
- 偽造《ぎぞう》をふせぐ

独自《どくじ》の文字を創作《そうさく》して使用
仲間だけがよめる暗号文

忍《しの》び文字《もじ》は、忍者《にんじゃ》たちが独自《どくじ》に創作《そうさく》した、特殊《とくしゅ》な文字。機密《きみつ》情報《じょうほう》などを書状《しょじょう》にしたためるときにつかう。書状《しょじょう》が敵《てき》の手にわたっても解読《かいどく》できないように、さまざまな発想で、不思議な文字をつくりだした。

忍《しの》び文字《もじ》の一例として、下の表にある、漢字のようにみせた文字がある。これは、「へん」と「つくり」のくみあわせで、「いろはにほへと」のすべての文字をあらわしている。

この、「へん」と「つくり」の部分は、全国各地の忍者集団《にんじゃしゅうだん》ごとにことなるほか、任務《にんむ》ごとに変更《へんこう》されることもあったとされる。

忍者《にんじゃ》たちは、万が一の事態《じたい》にそなえ、忍《しの》び文字《もじ》だけでなく、さらなるしかけを書状《しょじょう》にほどこした。筆で文字をかく際《さい》、墨《すみ》ではなく、大豆《だいず》を水にひたしてこまかくつぶした汁《しる》や、酒などをつかった。その書状《しょじょう》を乾燥《かんそう》させるとなにもみえなくなるが、火であぶると、文字の部分だけ色がつき、文字がうきでる。いわゆる「あぶりだし」だ。

忍《しの》び文字《もじ》をもちいた書状《しょじょう》の実物は、現存《げんそん》していない。うけとった仲間が、すぐにあとかたもなく処分《しょぶん》するというきまりがあったのだろう。

忍《しの》び文字《もじ》の一例

つくり／へん	色	青	黄	赤	白	黒	紫
木	栬 い	棈 ち	横 よ	⿰木赤 ら	柏 や	⿰木黒 あ	⿰木紫 ゑ
火	⿰火色 ろ	⿰火青 り	熿 た	⿰火赤 む	⿰火白 ま	⿰火黒 さ	⿰火紫 ひ
土	⿰土色 は	埥 ぬ	⿰土黄 れ	⿰土赤 う	垍 け	⿰土黒 き	⿰土紫 も
金	⿰金色 に	錆 る	鐄 そ	⿰金赤 ゐ	鉑 ふ	⿰金黒 ゆ	⿰金紫 せ
シ	⿰氵色 ほ	清 を	潢 つ	浾 の	泊 こ	⿰氵黒 め	⿰氵紫 す
イ	⿰亻色 へ	倩 わ	僙 ね	⿰亻赤 お	伯 え	⿰亻黒 み	⿰亻紫 ん
身	⿰身色 と	⿰身青 か	⿰身黄 な	⿰身赤 く	⿰身白 て	⿰身黒 し	⿰身紫 (読点など)

忍術《にんじゅつ》

薬術《やくじゅつ》

✦用途《ようと》
- 傷《きず》や病気をいやす
- 敵《てき》の戦意を喪失《そうしつ》させる
- 毒殺する

忍者《にんじゃ》が薬につかった植物の例

ドクダミ

抗菌《こうきん》作用がある。傷《きず》やはれもの、毒虫にさされたときなどに、葉の汁《しる》をすりつけた。

センブリ

下痢《げり》、腹痛《ふくつう》をおさえ、胃を丈夫《じょうぶ》にするためにもちいた。とてもにがい。

シキミ

10メートルほどの高さにそだつ常緑樹《じょうりょくじゅ》。葉や樹皮《じゅひ》に毒性《どくせい》があり、種子などに猛毒《もうどく》をもつ。

オオバコ

葉に解毒《げどく》作用があり、傷《きず》の手当につかった。種子は煎《せん》じて咳《せき》どめにもちいた。

キハダ

山地にそだつ木。樹皮《じゅひ》を煮《に》だしてのんだ。抗菌《こうきん》作用があり、腹痛《ふくつう》などにもちいた。

トリカブト

根からつくられる毒薬は「附子《ぶす》」という。わずかな量で心停止をひきおこす猛毒《もうどく》。

薬効《やっこう》のある植物を熟知《じゅくち》
治療薬《ちりょうやく》や毒になる「忍《しの》び薬《ぐすり》」

治療薬《ちりょうやく》や毒薬などを調合して、自分や敵《てき》につかう術《じゅつ》。忍者《にんじゃ》の薬は、「忍《しの》び薬《ぐすり》」ともよばれる。

薬効《やっこう》のある植物の知識《ちしき》を豊富《ほうふ》にもっていた忍者《にんじゃ》は、野草のなかから薬草を判別《はんべつ》し、傷《きず》の手あてや、風邪《かぜ》などの病気の治療《ちりょう》にもちいていた。薬草を調合した常備薬《じょうびやく》もあり、任務《にんむ》の際《さい》にはかならず携帯《けいたい》した。忍者《にんじゃ》がつねに不安だったのは腹痛《ふくつう》で、症状《しょうじょう》がでたときは、センブリの葉やキハダの樹皮《じゅひ》でつくった薬を、すぐに服用したのだという。

長時間の過酷《かこく》な任務《にんむ》についたときは、特殊《とくしゅ》な薬で空腹《くうふく》やのどのかわきをおさえた。名軍師《めいぐんし》の山本勘助《やまもとかんすけ》がしるしたとされる書物には、兵糧丸《ひょうろうがん》という携帯《けいたい》食料の記述《きじゅつ》がある。これは、米やハスの実、氷砂糖《こおりざとう》などをつかった栄養剤《えいようざい》のようなもので、五粒程《つぶてい》度《ど》で、一日の活動に必要なエネルギーを補充《ほじゅう》できるとされる。

忍者《にんじゃ》は、毒薬をあつかうことも多く、使用法に習熟《しゅうじゅく》していた。北条氏《ほうじょうし》配下の風魔党《ふうまとう》は、暗殺用の毒薬に、しばしば猛毒《もうどく》のトリカブトをつかった。ほかにも、忍者《にんじゃ》の大敵《たいてき》である番犬にあたえて殺す「犬殺《いぬごろ》し」という毒薬や、大麻《たいま》の麻薬《まやく》成分で敵《てき》を痴呆状態《ちほうじょうたい》にする「阿呆薬《あほうぐすり》」という秘薬《ひやく》もあったとされる。

しのびとらのまき

薬術《やくじゅつ》に精通《せいつう》した甲賀忍者《こうかにんじゃ》 その秘密《ひみつ》は気候と風土に

数ある忍者衆《にんじゃしゅう》のなかでも、とくに薬術《やくじゅつ》に精通《せいつう》していたのは、甲賀忍者《こうかにんじゃ》だったといわれる。甲賀《こうか》の里は、薬草の生育に適《てき》した気候と風土をもち、ふるくから薬草を栽培《さいばい》して、行商をおこなっていた。甲《こう》賀忍者《かにんじゃ》たちは、これらの薬草をつかい、仏教《ぶっきょう》とともに中国《ちゅうごく》からつたわった薬学を研究して、さまざまな薬や毒をつくりだしたといわれる。忍術書《にんじゅつしょ》『万川集海《まんせんしゅうかい》』には、甲賀《こうか》につたわる薬草のそだてかたや忍《しの》び薬《ぐすり》の製法《せいほう》が多数しるされている。

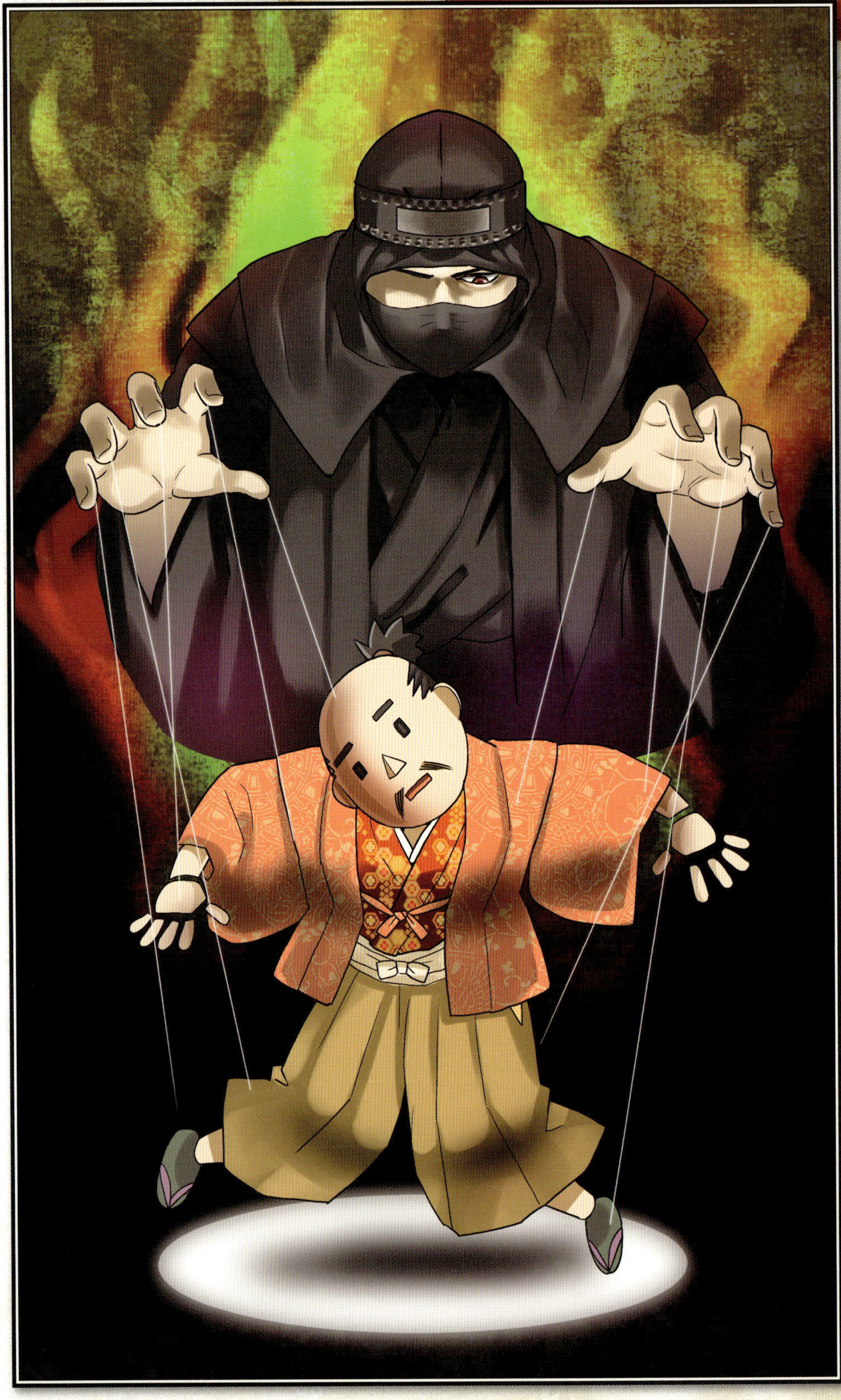

忍術《にんじゅつ》

謀術《ぼうじゅつ》

用途《ようと》

・敵《てき》を寝返《ねがえ》らせる
・敵《てき》から秘密《ひみつ》をききだす
・戦意をなくさせる

心理をついて敵《てき》をあやつる感情《かんじょう》と欲望《よくぼう》を操作《そうさ》する術《じゅつ》

心の弱点をゆさぶり、おもいのままに行動させる術《じゅつ》。戦意をなくさせたり、寝返《ねがえ》らせたりするときにつかう。

忍者《にんじゃ》たちは、人間にそなわる基本的《きほんてき》な感情《かんじょう》に、「喜《き》・怒《ど》・哀《あい》・楽《らく》・愛《あい》・悪《あく》・欲《よく》」の七つがあるとかんがえ、これらの感情《かんじょう》を利用して、たやすく相手の心に侵入《しんにゅう》することができた。また、自分自身の感情《かんじょう》もコントロールするために、修行《しゅぎょう》をかさねて自分がどのような性格《せいかく》なのかを把《は》握《あく》し、感情面《かんじょうめん》での強さや弱さが、任務《にんむ》の支障《ししょう》とならないようにつとめた。

欲望《よくぼう》を利用して相手の心をコントロールするときは、「五欲《ごよく》の術《じゅつ》」をもちいる。五欲《ごよく》とは、食欲《しょくよく》、財欲《ざいよく》、色欲《しきよく》、名誉欲《めいよよく》、睡《すい》眠欲《みんよく》をさし、それらをみたす物事をちらつかせたりかなえたりして、相手を骨《ほね》ぬきにした。

謀術《ぼうじゅつ》は、戦場でも効果《こうか》を発揮《はっき》した。味方をよそおって敵陣《てきじん》にはいりこみ、にせの情報《じょうほう》やうわさをながして敵兵《てきへい》の恐怖心《きょうふしん》をあおったり、不信をいだかせて同《どう》士討《しう》ちをさせたりした。伊達政《だてまさ》宗《むね》に仕《つか》えた黒脛巾組《くろはばきぐみ》の大林坊俊《だいりんぼうしゅん》海《かい》は、謀術《ぼうじゅつ》をもちいて敵《てき》の武将《ぶしょう》たちの不和をあおり、一本の矢をいることもなく撤退《てったい》させたことで知られる。

しのび とらのまき

秘密《ひみつ》をききだす極意《ごくい》は本人にしゃべらせること

三大忍術書《にんじゅつしょ》のひとつ『正忍記《しょうにんき》』では、「問《と》うに落ちず語るに落ちる」ということわざを引用している。意味は、「秘密《ひみつ》というものは、人からきかれると用心して口をとざすが、自分からはなしだすとうっかりしゃべってしまう」というものだ。

忍者《にんじゃ》たちは、相手がつい自分から秘密《ひみつ》をはなしてしまうような状況《じょうきょう》をつくりだすための、すぐれたコミュニケーション能力《のうりょく》を身につけていた。

(Note: in the sidebar, 敵《てき》から秘《ひ》密《みつ》をききだす極意《ごくい》として、「問」)

忍《にん》術《じゅつ》

察天術《さってんじゅつ》

✦用《よう》途《と》

- 天気を予測《よそく》する
- 任務《にんむ》のタイミングをはかる
- 時間や方角を把握《はあく》する

「観天望気《かんてんぼうき》」で天候を予測《よそく》
星をみて時刻《じこく》と方角を知る

天候を予測《よそく》し、時刻《じこく》や方角を知る、忍者《にんじゃ》の任務《にんむ》に必須《ひっす》の術《じゅつ》。

天気を予測《よそく》するときは、自然《しぜん》現象《げんしょう》をよみとく「観天望気《かんてんぼうき》」という知識《ちしき》をつかう。観天望気《かんてんぼうき》には、つぎのようなものがある。

燕《つばめ》が低くとぶと雨がふる。猫《ねこ》が顔をあらうと雨になる。ミミズが土からはいだすと大雨がふる。蟷螂《かまきり》が高い位置に卵《たまご》をうむと、川が氾濫《はんらん》する。

煙《けむり》がまっすぐあがると晴れ、たなびけば雨。櫛《くし》が髪《かみ》にとおりにくい日は雨。敷石《しきいし》にしめりけがあれば雨。三味線《しゃみせん》や太鼓《たいこ》の音がひびけば晴れ、にごれば雨。

雲ひとつない日本晴れは、三日後に雨がふる。星がきらきらとかがやくと、三日のうちに大風がふく。あざやかな夕やけの翌日《よくじつ》は快晴《かいせい》。月のまわりに暈《かさ》（あわい光の輪）ができると雨。赤い月がでると日照りがおこる。

夜間に方角や時刻《じこく》を知るときは、一年中観測《かんそく》できる、北極星《ほっきょくせい》と北斗七星《ほくとしちせい》をつかう。北極星《ほっきょくせい》はほぼ真北にあってうごかず、それを中心にまわる北斗七星《ほくとしちせい》の位置とかたむきで、時刻《じこく》がわかる。

方角をよみとる、耆著《きしゃく》という道具もある。小さな舟形《ふながた》のうすい鉄片《てっぺん》で、磁力《じりょく》をおびており、水にうかべると北をさすので、方角がわかるというしくみだ。

しのびとらのまき

猫《ねこ》の目玉で時刻《じこく》がわかる「猫《ねこ》の目時計《めどけい》」

忍者《にんじゃ》たちは、猫《ねこ》の瞳《ひとみ》が、太陽の光の具合で形をかえることを利用して、つぎのような「猫《ねこ》の目時計《めどけい》」をあみだした。

瞳《ひとみ》が丸ければ、明け方と夕暮《ゆうぐ》れの六時（昔の時刻《じこく》で六《む》ツ）。卵形《たまごがた》なら、午前八時（五《いつ》ツ）と午後四時（七《なな》ツ）。柿《かき》の種《たね》の形なら、午前十時（四《よ》ツ）と午後二時（八《や》ツ）。針《はり》の形なら正午十二時（九《ここの》ツ）となる。

彼《かれ》らは、この猫《ねこ》の目の変化を歌にして、「六《む》ツ丸く、五七《ごしち》は卵《たま》、四《よ》ツ八《や》ツ柿《かき》の実《み》にて、九《ここの》ツは針《はり》」というふうにおぼえた。

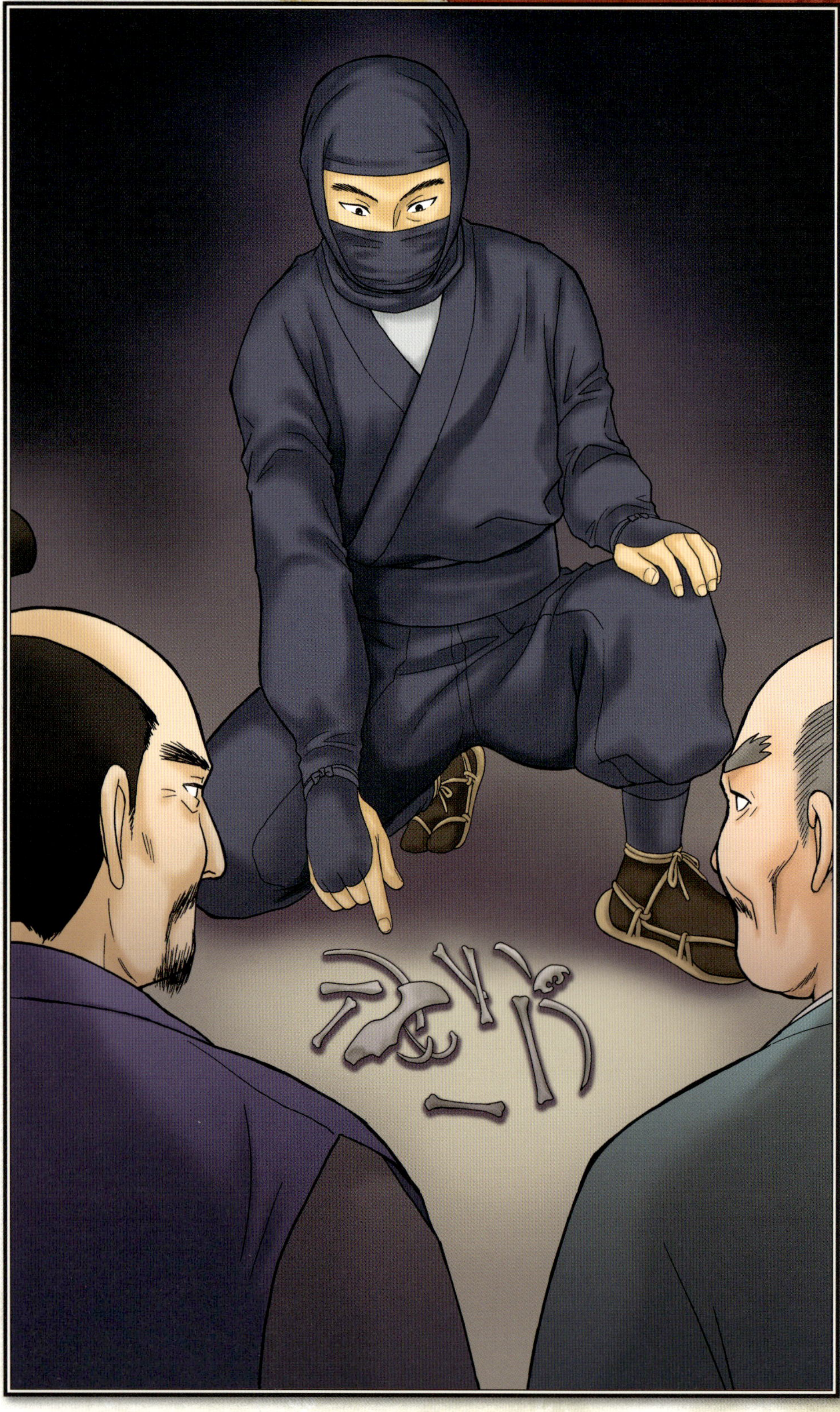

占術《せんじゅつ》

用途《ようと》

- 重要な物事を決定する
- 吉凶《きっきょう》を知る
- 運命や宿命を知る

占《うらな》いで未来を予見 まよいを打破《だは》する術《じゅつ》

物事の吉凶《きっきょう》をうらなう術《じゅつ》。重要な物事をきめるとき、神秘的《しんぴてき》な力をかりて判断《はんだん》することで、心配やまよいをぬぐいさった。

忍術書《にんじゅつしょ》『万川集海《まんせんしゅうかい》』には、行動をおこすのに適《てき》した日どりや方角をうらなう方法や、天候の変化を占《うらな》いで予見する術《じゅつ》が、くわしくしるされている。忍者《にんじゃ》たちが、占術《せんじゅつ》を重視《じゅうし》し、実際《じっさい》に活用していたことがうかがえる。

忍者《にんじゃ》がおこなった占《うらな》いのひとつ「八門遁甲《はちもんとんこう》」は、方位をつかう中国《ちゅうごく》の占術《せんじゅつ》「奇門遁甲《きもんとんこう》」を、日本の気候風土にあわせて改良したものだ。特定の日時について、吉《きち》となる方角を知ることができるため、とくに合戦のときに活用されたという。武将《ぶしょう》や軍師《ぐんし》たちは、この占《うらな》いの結果をもとにして、軍をうごかしていたそうだ。

「宿曜道《すくようどう》」は、仏教《ぶっきょう》でつかわれたという占星術《せんせいじゅつ》だ。天体のうごきや、曜日のめぐりをもとにして、運命や宿命をうらなうことができる。忍者《にんじゃ》たちは、修験道《しゅげんどう》の修行《しゅぎょう》をつうじて、この占術《せんじゅつ》にも精通《せいつう》していた。

そのほか、獣《けもの》の骨《ほね》をやいて、そのひびわれで吉凶《きっきょう》をうらなう「太占《ふとまに》」など、古代日本からつたわる占術《せんじゅつ》もつかわれていたとかんがえられている。

しのび とらのまき

性格《せいかく》から寿命《じゅみょう》まで 人相占《にんそううらな》いでピタリ的中？

忍者《にんじゃ》は、人の顔や体の特徴《とくちょう》から性格《せいかく》や人柄《ひとがら》を知る「人相占《にんそううらな》い」にもくわしかった。忍術書《にんじゅつしょ》の『正忍記《しょうにんき》』では、人の頭、眉《まゆ》、目、鼻、耳、口、歯、舌《した》の形や大きさ、色、ほくろの位置をみることで、性格《せいかく》だけでなく、貧富《ひんぷ》や善悪《ぜんあく》、頭のよさ、将来《しょうらい》性《せい》、寿命《じゅみょう》までもわかるとしている。たとえば、「細くてふかい目は長命」「まっすぐな鼻は忠義《ちゅうぎ》もの」「とがった小さい舌《した》は貪欲《どんよく》」など、詳細《しょうさい》な人相判定《にんそうはんてい》が、およそ百項目《こうもく》もしるされている。

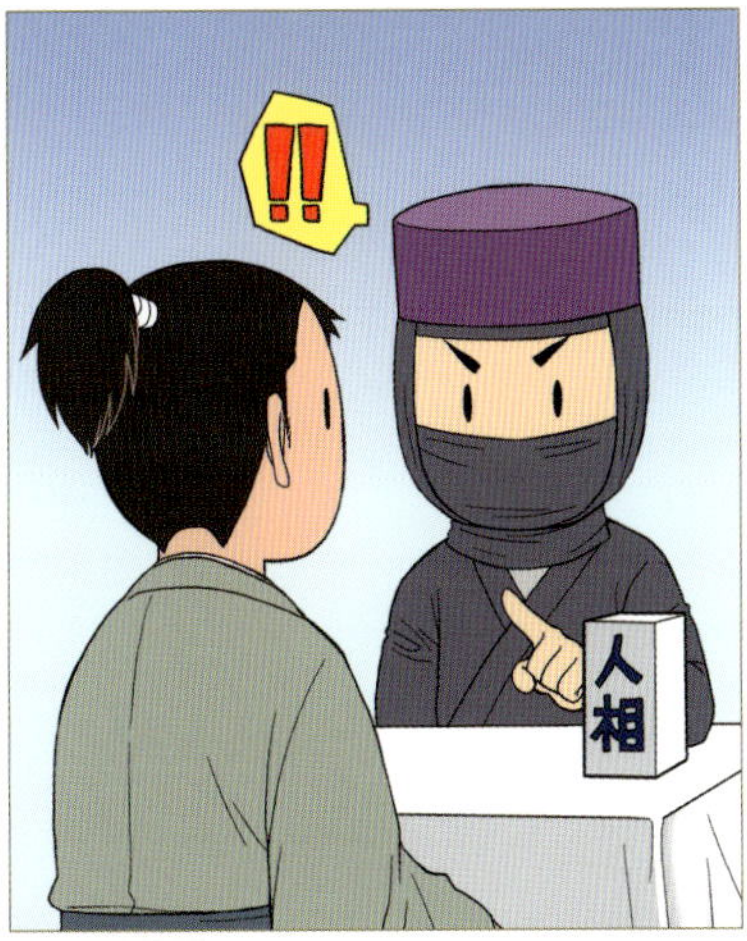

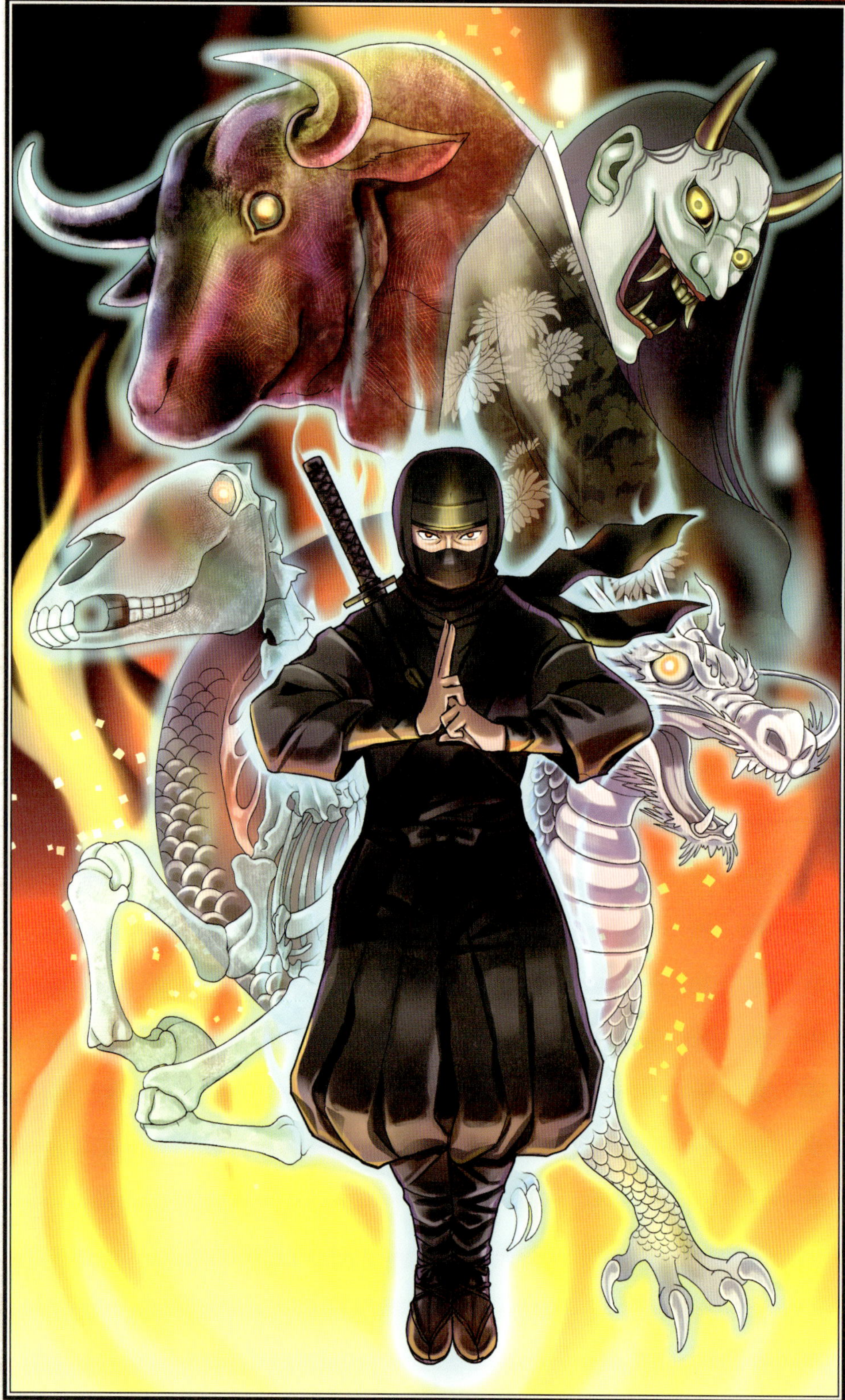

忍《にん》術《じゅつ》

幻《げん》術《じゅつ》

用《よう》途《と》

- おどろかせる
- 楽しませる
- 油断《ゆだん》させる

ありえない光景をみせて人々《ひとびと》を熱狂《ねっきょう》させる術《じゅつ》

摩訶不思議《まかふしぎ》なまぼろしをみせる術《じゅつ》。加藤段蔵《かとうだんぞう》や果心居士《かしんこじ》は、すご腕《うで》の幻術《げんじゅつ》つかいとして、その名を知られる。

幻術《げんじゅつ》は、奇想天外《きそうてんがい》な伝承《でんしょう》ばかりで謎《なぞ》が多く、実際《じっさい》には存在《そんざい》しなかったともいわれる。その一方で、幻術《げんじゅつ》の正体は、当時流行した奇術《きじゅつ》の一種だとする説もある。奇術《きじゅつ》とは、今でいう手品のようなもので、奈良《なら》時代ごろ、曲芸や舞踊《ぶとう》などの芸能《げいのう》とともに中国《ちゅうごく》から日本につたわった。それを、放下師《ほうかし》とよばれる大道芸人たちが、各地の祭りなどでえんじたことで、全国に広まったという。

とはいえ、忍者《にんじゃ》がもちいた幻《げん》術《じゅつ》は、しんじがたいものばかりだ。加藤段蔵《かとうだんぞう》は、大きな牛を出《しゅつ》現《げん》させて、それを丸のみにしている。果心居士《かしんこじ》は、豊臣秀吉《とよとみひでよし》の過去《かこ》をあばいて、その光景をまぼろしで再現《さいげん》してみせた。

幻術《げんじゅつ》でみせるまぼろしは、高度な催眠術《さいみんじゅつ》をつかっていたとする説がある。また、大麻《たいま》などの麻薬《まやく》成分をもちいて、幻覚《げんかく》をみせていたともいわれる。

忍者《にんじゃ》は、人の心というものをふかく研究して、あらゆる忍術《にんじゅつ》に応用《おうよう》していた。人の心を一瞬《いっしゅん》でつかむ幻術《げんじゅつ》は、その集大成《しゅうたいせい》といえる技《わざ》なのかもしれない。

しのびとらのまき

江戸《えど》時代のマジックショー　塩屋長次郎《しおやちょうじろう》の「呑馬術《どんばじゅつ》」

加藤段蔵《かとうだんぞう》は牛を丸のみする幻術《げんじゅつ》を披露《ひろう》したが、江戸《えど》時代前期には、馬を丸のみする「呑馬術《どんばじゅつ》」という奇術《きじゅつ》で大人気になった、塩屋長次郎《しおやちょうじろう》という放下師《ほうかし》がいた。

長次郎《ちょうじろう》の呑馬術《どんばじゅつ》は、舞台《ぶたい》の上に馬をつれてきて、それを頭から丸ごとのみこんでしまうというもの。これは、現在《げんざい》のマジックショーでもつかわれる、黒い幕《まく》と照明をつかったトリックだったようだ。

長次郎《ちょうじろう》も、太平の世で仕事をうしなった、すご腕《うで》の忍者《にんじゃ》だったのかもしれない。

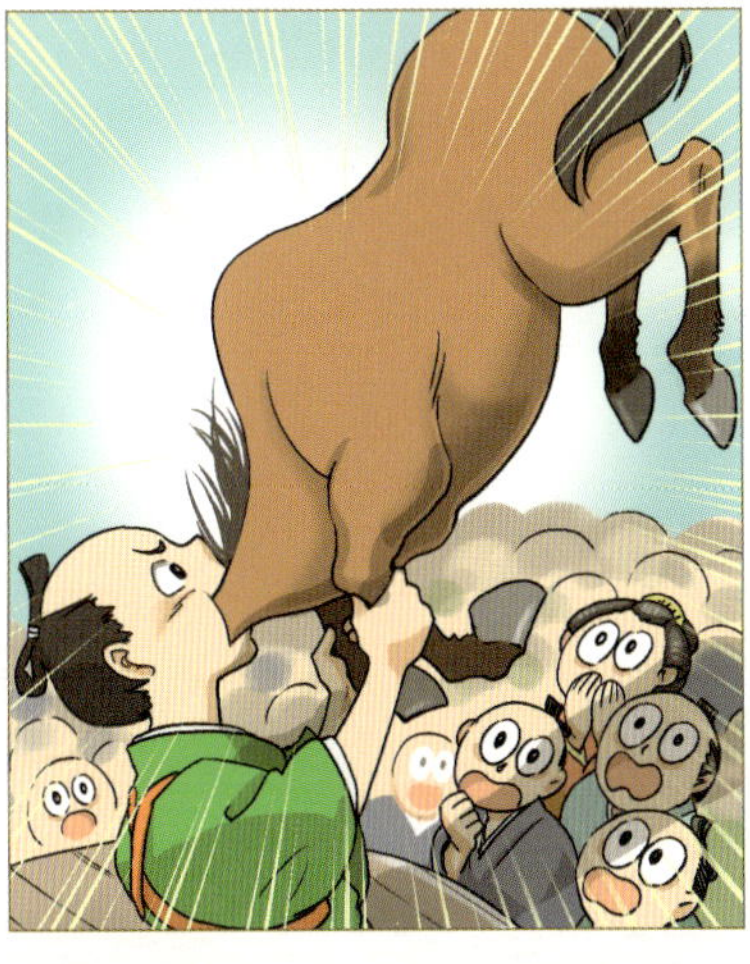

忍《にん》者《じゃ》豆《まめ》知《ち》識《しき》

最後に、忍者《にんじゃ》にまつわる素朴《そぼく》な疑問《ぎもん》や意外な事実を、質問《しつもん》と回答のかたちで紹介《しょうかい》します。忍者《にんじゃ》の世界観をほりさげる豆知識《まめちしき》としてご覧《らん》ください。

Q1 伊賀忍者《いがにんじゃ》と甲賀忍者《こうかにんじゃ》は敵対《てきたい》していたの？

A1

マンガやアニメなどの創作物《そうさくぶつ》で、伊賀忍者《いがにんじゃ》と甲賀忍者《こうかにんじゃ》がライバルとしてえがかれているものが多くあります。江《え》戸《ど》時代に創作《そうさく》された物語でも、甲賀忍者《こうかにんじゃ》の猿飛佐助《さるとびさすけ》を、伊賀忍《いがにん》者《じゃ》の霧隠才蔵《きりがくれさいぞう》がライバル視《し》しています。

実際《じっさい》には、両者が敵対《てきたい》することもあれば、協力することもありました。それは、私的《してき》な感情《かんじょう》ではなく、任務《にんむ》の内容《ないよう》によるもので、伊賀忍者《いがにんじゃ》同士、または甲賀忍者《こうかにんじゃ》同士が敵《てき》と味方にわかれることもあります。

たとえば、織田信長《おだのぶなが》が伊賀《いが》を攻めほろぼした天正伊賀《てんしょういが》の乱《らん》において、甲賀忍者《こうかにんじゃ》は織田軍《おだぐん》の味方となり、道案内をしたという説があります。一方で、徳川家康《とくがわいえやす》が大坂《おおさか》から三河《みかわ》に帰国をはたした伊賀越《いがご》えでは、伊賀忍者《いがにんじゃ》の服部半蔵《はっとりはんぞう》のよびかけで、伊賀忍《いがにん》者《じゃ》と甲賀忍者《こうかにんじゃ》が協力体制《たいせい》をとったといわれます。

伊賀《いが》と甲賀《こうか》の里は、山をひとつへだてた場所に位置し、いわば「隣同士《となりどうし》」の間柄《あいだがら》です。任務《にんむ》をおびていない平常時《へいじょうじ》は、おなじ忍者《にんじゃ》仲間として、おたがいに交流をもっていたそうです。

Q2 江戸《えど》時代以降《いこう》、忍者《にんじゃ》はどうなった？

A2

江戸《えど》時代、幕府《ばくふ》が全国を支配《しはい》したことで各地の戦乱《せんらん》はおさまり、世の中が平和になりました。一部の忍者《にんじゃ》は、各地の大名にやとわれて、情報収集《じょうほうしゅうしゅう》や武術指導《ぶじゅつしどう》、国境《こっきょう》や城《しろ》の警備《けいび》などの任務《にんむ》につきました。一方で、職《しょく》にあぶれた忍者《にんじゃ》は、おちぶれて盗賊《とうぞく》となり、悲惨《ひさん》な末路《まつろ》をたどったといいます。

江戸《えど》時代初期の一六三七年、キリスト教徒の天草四郎《あまくさしろう》らが反《はん》乱《らん》をおこした島原《しまばら》の乱《らん》では、討伐軍《とうばつぐん》にやとわれた甲賀忍者《こうかにんじゃ》が、反乱軍《はんらんぐん》の城《しろ》に潜入《せんにゅう》して、兵糧《ひょうろう》の状況《じょうきょう》などの情報収集《じょうほうしゅうしゅう》をおこなったという記録があります。

江戸《えど》時代末期の一八五三年、アメリカのペリー艦隊《かんたい》が日本に来航したときにも、伊賀忍者《いがにんじゃ》が任務《にんむ》を遂行《すいこう》したという記録もあります。伊賀忍者《いがにんじゃ》の沢村保祐《さわむらやすすけ》が、主君の命《めい》をうけて黒船に潜入《せんにゅう》し、乗組員たちからパンや蝋燭《ろうそく》などをもらいうけて、無事に帰還《きかん》したそうです。

Q3 「身分のひくい人や罪人《ざいにん》が忍者《にんじゃ》になった」というのは本当？

A3 そういう人たちもいたかもしれませんが、基本的《きほんてき》には、忍者《にんじゃ》の家系《かけい》にうまれた人が、そのあとをついで忍者《にんじゃ》になります。そして、親が子に修行《しゅぎょう》をほどこして、忍者《にんじゃ》の術《じゅつ》や技《わざ》がうけつがれていきました。忍者《にんじゃ》の術《じゅつ》や技《わざ》はとても秘匿性《ひとくせい》が高く、極秘情報《ごくひじょうほう》をもって抜《ぬ》け忍《にん》となられてはこまるため、よそ者は、そう簡単《かんたん》には仲間になれなかったことでしょう。

Q4 忍者《にんじゃ》がもっともおそれたものは？

A4 犬です。敵地《てきち》への潜入《せんにゅう》をおもな任務《にんむ》とする忍者《にんじゃ》にとって、自分のにおいを犬にかぎとられて吠《ほ》えたてられた時点で、任務《にんむ》の失敗を意味します。そのことを知っている武将《ぶしょう》たちは、忍者《にんじゃ》よけとして、屋敷《やしき》や城《しろ》で番犬を飼《か》っていました。
まさに天敵《てんてき》ともいえる犬だけに、『万川集海《まんせんしゅうかい》』や『正忍記《しょうにんき》』などの忍術書《にんじゅつしょ》には、その対策手段《たいさくしゅだん》がしるされています。たとえば、自分の体臭《たいしゅう》や口臭《こうしゅう》をけす方法、犬の声をつぶす薬、犬を殺す薬など、さまざまなものがあります。ほかにも、雄犬《おすいぬ》がいるところには雌犬《めすいぬ》をつれていき、雌犬《めすいぬ》には雄犬《おすいぬ》をあてがうことで、犬の注意をそらすことができるとあります。

Q5 高度な技術《ぎじゅつ》を会得《えとく》し、恐怖心《きょうふしん》にうちかつ方法は？

A5 とにかく、修行《しゅぎょう》をかさねるほかありません。高度な技術《ぎじゅつ》を会得《えとく》するためには、かんたんにできる訓練《くんれん》からはじめて、だんだんと高度化していきます。恐怖心《きょうふしん》は、その恐怖《きょうふ》を実際《じっさい》に何度も体感することで克服《こくふく》します。
忍者《にんじゃ》には、どんな状況《じょうきょう》でもあざやかに任務《にんむ》をこなすというイメージがありますが、その活躍《かつやく》のうらでは、日々《ひび》の地道な修行《しゅぎょう》がおこなわれていたのです。

戦国期年表

忍者《にんじゃ》たちがもっとも活躍《かつやく》した、戦国時代から江戸《えど》時代初期までの、おもなできごとをまとめた年表です。一章・人物伝で紹介《しょうかい》した忍者《にんじゃ》や忍者衆《にんじゃしゅう》は、赤文字であらわしています。

時代《じだい》	西暦《せいれき》	できごと
室町《むろまち》時代後期［戦国時代］	1467	応仁《おうにん》の乱《らん》がおこり、戦国時代がはじまる。
	1484	尼子経久《あまごつねひさ》が守護代職《しゅごだいしき》から追放される。
	1486	尼子経久《あまごつねひさ》が月山富田城《がっさんとだじょう》をとりもどす。鉢屋衆《はちやしゅう》が活躍《かつやく》。
	1487	鈎《まがり》の陣《じん》（長享《ちょうきょう》・延徳《えんとく》の乱《らん》）。足利義尚《あしかがよしひさ》が六角氏《ろっかくし》の討伐《とうばつ》に失敗。甲賀忍者《こうかにんじゃ》が活躍《かつやく》。
	1543	種子島《たねがしま》に鉄砲《てっぽう》が伝来する。
	1546	河越夜戦《かわごえやせん》。北条氏康《ほうじょううじやす》が上杉《うえすぎ》・足利軍《あしかがぐん》をやぶる。風魔党《ふうまとう》が活躍《かつやく》。
	1549	フランシスコ・ザビエルがキリスト教の布教《ふきょう》のため来日する。
	1560	桶狭間《おけはざま》の戦《たたか》い。今川義元《いまがわよしもと》が織田信長《おだのぶなが》にやぶれて戦死する。
	1561	川中島《かわなかじま》の戦《たたか》い（4回目）。武田信玄《たけだしんげん》と上杉謙信《うえすぎけんしん》が合戦する。三ツ者《みつもの》と伏齅《ふしかぎ》が活躍《かつやく》。
	1562	清洲同盟《きよすどうめい》。織田信長《おだのぶなが》と徳川家康《とくがわいえやす》が同盟《どうめい》をむすぶ。
	1567	美濃《みの》攻《ぜ》め。織田信長《おだのぶなが》が斎藤氏《さいとうし》をやぶる。
	1568	織田信長《おだのぶなが》が足利義昭《あしかがよしあき》を奉《ほう》じて入京《にゅうきょう》、義昭《よしあき》が将軍《しょうぐん》になる。
	1570	姉川《あねがわ》の戦《たたか》い。織田《おだ》・徳川《とくがわ》連合軍が、浅井《あざい》・朝倉《あさくら》連合軍をやぶる。石山合戦《いしやまかっせん》。織田信長《おだのぶなが》が石山本願寺《いしやまほんがんじ》を攻撃《こうげき》する。雑賀衆《さいかしゅう》が活躍《かつやく》。
	1571	織田信長《おだのぶなが》が比叡山延暦寺《ひえいざんえんりゃくじ》を焼きうちにする。
安土《あづち》・桃山《ももやま》時代	1584	小牧《こまき》・長久手《ながくて》の戦《たたか》い。羽柴秀吉《はしばひでよし》と徳川家康《とくがわいえやす》がたたかい、講和《こうわ》する。
	1585	長宗我部元親《ちょうそかべもとちか》が四国《しこく》を統一《とういつ》する。羽柴秀吉《はしばひでよし》が関白《かんぱく》になる。四国平定《しこくへいてい》。羽柴秀吉《はしばひでよし》が長宗我部氏《ちょうそかべし》をしたがわせる。第一次上田合戦《うえだかっせん》。真田昌幸《さなだまさゆき》が徳川家康《とくがわいえやす》をやぶる。真田衆《さなだしゅう》が活躍《かつやく》。人取橋《ひととりばし》の戦《たたか》い。伊達政宗《だてまさむね》が、佐竹《さたけ》・蘆名《あしな》らの連合軍とあらそう。黒脛巾組《くろはばきぐみ》が活躍《かつやく》。
	1586	秀吉《ひでよし》が豊臣姓《とよとみせい》になる。
	1587	九州平定《きゅうしゅうへいてい》。豊臣秀吉《とよとみひでよし》が島津氏《しまづし》をしたがわせる。バテレン追放令《ついほうれい》。豊臣秀吉《とよとみひでよし》がキリスト教を禁止《きんし》する。惣無事令《そうぶじれい》。豊臣秀吉《とよとみひでよし》が大名間の私闘《しとう》を禁止《きんし》する。
	1588	海賊停止令《かいぞくていしれい》。豊臣秀吉《とよとみひでよし》が海賊行為《かいぞくこうい》を禁止《きんし》する。刀狩令《かたながりれい》。豊臣秀吉《とよとみひでよし》が農民から武器《ぶき》を没収《ぼっしゅう》する。
	1589	摺上原《すりあげはら》の戦《たたか》い。伊達政宗《だてまさむね》が蘆名氏《あしなし》をほろぼす。
	1590	小田原征伐《おだわらせいばつ》。豊臣秀吉《とよとみひでよし》が北条氏《ほうじょうし》をほろぼす。伊達政宗《だてまさむね》が豊臣秀吉《とよとみひでよし》にしたがう。徳川家康《とくがわいえやす》が関東《かんとう》にうつされ、江戸城《えどじょう》にはいる。
	1591	豊臣秀吉《とよとみひでよし》が豊臣秀次《とよとみひでつぐ》に関白《かんぱく》をゆずり、太閤《たいこう》になる。

※この年表の年号や歴史的事項《じこう》については、異説《いせつ》や諸説《しょせつ》もあります。また、歴史的な用語等は別の表現《ひょうげん》もあります。

安土《あづち》・桃山《ももやま》時代

年	できごと
1572	三方ケ原《みかたがはら》の戦《たたか》い。武田信玄《たけだしんげん》が徳川家康《とくがわいえやす》をやぶる。
1573	武田信玄《たけだしんげん》が病死する。 室町幕府滅亡《むろまちばくふめつぼう》。織田信長《おだのぶなが》が足利義昭《あしかがよしあき》を追放する。 織田信長《おだのぶなが》が朝倉氏《あさくらし》をほろぼす。 小谷城《おだにじょう》の戦《たたか》い。織田信長《おだのぶなが》が浅井氏《あざいし》をほろぼす。
1574	織田信長《おだのぶなが》が伊勢長島《いせながしま》の一向一揆《いっこういっき》を討伐《とうばつ》する。
1575	長篠合戦《ながしののかっせん》。織田《おだ》・徳川《とくがわ》連合軍が、武田勝頼《たけだかつより》をやぶる。
1576	織田信長《おだのぶなが》が安土城《あづちじょう》をきずく。
1577	手取川《てどりがわ》の戦《たたか》い。上杉謙信《うえすぎけんしん》が織田軍《おだぐん》の柴田勝家《しばたかついえ》をやぶる。 中国攻《ちゅうごくぜ》め。羽柴秀吉《はしばひでよし》が中国《ちゅうごく》地方の毛利氏《もうりし》を制圧《せいあつ》するため遠征《えんせい》する。毛利忍者《もうりにんじゃ》が活躍《かつやく》。
1578	上杉謙信《うえすぎけんしん》が病死する。 上月城《こうづきじょう》の戦《たたか》い。毛利輝元《もうりてるもと》が尼子氏《あまごし》をほろぼす。
1579	第一次天正伊賀《てんしょういが》の乱《らん》。織田信雄《おだのぶかつ》が伊賀《いが》に侵攻《しんこう》してやぶれる。伊賀忍者《いがにんじゃ》が活躍《かつやく》。 黄瀬川《きせがわ》の戦《たたか》い。北条氏政《ほうじょううじまさ》と武田勝頼《たけだかつより》が黄瀬川《きせがわ》をはさんで対峙《たいじ》。 風魔党《ふうまとう》が活躍《かつやく》。
1581	第二次天正伊賀《てんしょういが》の乱《らん》。織田信長《おだのぶなが》が伊賀《いが》に侵攻《しんこう》して制圧《せいあつ》する。
1582	天目山《てんもくざん》の戦《たたか》い。織田《おだ》・徳川《とくがわ》連合軍が武田氏《たけだし》をほろぼす。 本能寺《ほんのうじ》の変《へん》。明智光秀《あけちみつひで》が謀反《むほん》をおこし、織田信長《おだのぶなが》が自害する。 伊賀越《いがご》え。二代目服部半蔵《はっとりはんぞう》が徳川家康《とくがわいえやす》を大坂《おおさか》から三河《みかわ》ににがす。 山崎《やまざき》の戦《たたか》い。羽柴秀吉《はしばひでよし》が明智光秀《あけちみつひで》をやぶる。 清洲会議《きよすかいぎ》。織田信長《おだのぶなが》の後継者《こうけいしゃ》として羽柴秀吉《はしばひでよし》が有力となる。
1583	賤ケ岳《しずがたけ》の戦《たたか》い。羽柴秀吉《はしばひでよし》が柴田勝家《しばたかついえ》をやぶり、勝家《かついえ》が自害する。 羽柴秀吉《はしばひでよし》が大坂城《おおさかじょう》をきずく。

安土《あづち》・桃山《ももやま》時代

年	できごと
1592	文禄《ぶんろく》の役《えき》。豊臣秀吉《とよとみひでよし》が朝鮮出兵《ちょうせんしゅっぺい》を決行する。
1593	豊臣秀頼《とよとみひでより》がうまれる。
1594	石川五右衛門《いしかわごえもん》が京《きょう》で処刑《しょけい》される。
1595	関白《かんぱく》の豊臣秀次《とよとみひでつぐ》が謀反《むほん》のうたがいで追放され、自害する。
1597	慶長《けいちょう》の役《えき》。豊臣秀吉《とよとみひでよし》が2度目の朝鮮出兵《ちょうせんしゅっぺい》を決行する。
1598	豊臣秀吉《とよとみひでよし》が病死する。
1600	会津攻《あいづぜ》め。徳川家康《とくがわいえやす》が上杉氏《うえすぎし》の謀反《むほん》をうたがい、会津《あいづ》に出兵する。 石田三成《いしだみつなり》が、徳川家康《とくがわいえやす》の出兵のさなかに決起する。 第二次上田合戦《うえだかっせん》。真田昌幸《さなだまさゆき》が、関ケ原《せきがはら》にむかう徳川秀忠《とくがわひでただ》をやぶる。真田衆《さなだしゅう》が活躍《かつやく》。 関ケ原《せきがはら》の戦《たたか》い。徳川家康《とくがわいえやす》の東軍《とうぐん》が、石田三成《いしだみつなり》の西軍《せいぐん》をやぶる。

江戸《えど》時代

年	できごと
1603	徳川家康《とくがわいえやす》が征夷大将軍《せいいたいしょうぐん》になり、江戸幕府《えどばくふ》をひらく。
1605	徳川秀忠《とくがわひでただ》が二代征夷大将軍《せいいたいしょうぐん》になる。
1614	大坂冬《おおさかふゆ》の陣《じん》。幕府軍《ばくふぐん》と豊臣氏《とよとみし》があらそい、講和《こうわ》する。 真田衆《さなだしゅう》が活躍《かつやく》。
1615	大坂夏《おおさかなつ》の陣《じん》。幕府軍《ばくふぐん》が再度《さいど》、大坂城《おおさかじょう》を攻《せ》めて、豊臣氏《とよとみし》をほろぼす。
1616	徳川家康《とくがわいえやす》が病死する。

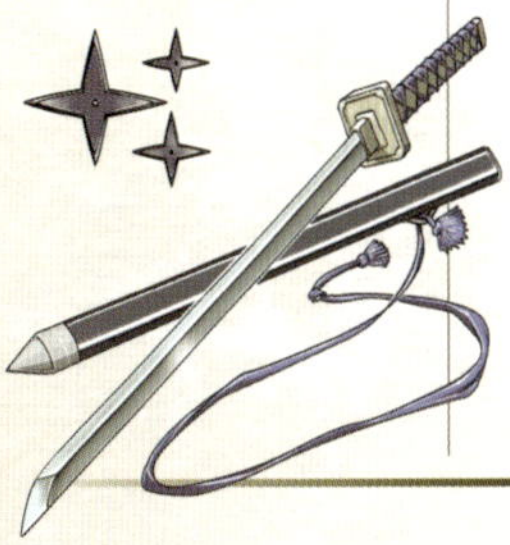

※大坂冬《おおさかふゆ》の陣《じん》と大坂夏《おおさかなつ》の陣《じん》をあわせて、大坂《おおさか》の役《えき》といいます。

※本書に掲載しているイラストは、資料等を基にして、アレンジをくわえたものです。学術的な再現を図ったものではありません。

監修／山田雄司

三重大学人文学部教授。専門は日本古代・中世信仰史。忍者・忍術に関する研究をおこなう。主著に、『忍者の歴史』（角川選書）、『忍者はすごかった 忍術書81の謎を解く』（幻冬舎新書）、『怨霊とは何か 菅原道真・平将門・崇徳院』（中公新書）などがある。

イラスト

◆板倉まゆみ［杉谷善住坊、杉原盛重］◆伊原シゲカツ［逃走術、体術］
◆岩田和久［服部半蔵、望月出雲守、出浦盛清、望月千代女、横谷左近、風魔小太郎、二曲輪猪助、大林坊俊海］
◆大竹紀子［山岡景友、中西某、鉢屋弥三郎、果心居士］◆川石テツヤ［手裏剣、忍び刀・忍び鎌、火器、忍び六具］
◆河本けもん［忍び装束、小型武器、水器、登術、火術、忍者の日常（P.96）］
◆後藤伸正［跳躍術、水術］◆坂井孝行［熊若、割田重勝、曾呂利新左衛門］
◆さがわゆめこ［百地丹波、下柘植の木猿、加藤段蔵、琵琶法師勝一、児雷也、綱手、大蛇丸、諜術、察天術、幻術、忍者の任務（P.61）、「忍者説」をもつ歴史人物（P.62）、忍術書にしるされた秘伝（P.79）］
◆崎みつほ［石川五右衛門、滝川一益、猿飛佐助、霧隠才蔵］
◆瀬戸カズヨシ［歩行・走行術、隠法、合言葉、忍び文字］◆たちばな豊可［侵入術、情報伝達術］
◆永野あかね［唐沢玄蕃、雑賀孫一、薬術、占術］
◆よしのえみこ［忍者屋敷、気配消失術、変装術、呪文、九字護身法の印のむすびかた（P.122）］

編集・デザイン・DTP／グラフィオ

執筆／笠原 宙（グラフィオ）・工藤真紀

アートディレクション／弓場 真（グラフィオ）

参考文献

『完本 万川集海』（国書刊行会）、『イラスト図解 忍者』（日東書院）、『決定版 忍者・忍術・忍器大全』『戦国忍者列伝 乱世を暗躍した66人』（学研プラス）、『忍者の教科書』（笠間書院）、『忍者の大常識』（ポプラ社）、『忍者の歴史』『忍者の掟』（KADOKAWA）、『忍者・忍術 超秘伝図鑑』（永岡書店）、『忍者のすべてがわかる本』（PHP研究所）、『忍者図鑑』（ブロンズ新社）、『忍者を科学する』（洋泉社）、『サイエンスコナン 忍者の不思議』（小学館）、『戦国忍者列伝 80人の履歴書』（河出書房新社）、『徳川家の家紋はなぜ三つ葉葵なのか』（東洋経済新報社）、『古武術・剣術がわかる事典』（技術評論社）、『忍者の生活』（雄山閣出版）、『歴史文化ライブラリー335〈甲賀忍者〉の実像』（吉川弘文館）、『真田幸村と十勇士』（幻冬舎）、『猿飛佐助』『怪傑自来也』（講談社）、『歴史の愉しみ方』（中央公論新社）、『日本史人物事典』（山川出版社）、『超ビジュアル！ 戦国武将大事典』（西東社）、『概説 忍者・忍術』『戦国武将事典』（新紀元社）、『カラー版 戦国武器甲冑事典』（誠文堂新光社）、『戦国武将 人物甲冑大図鑑』（金の星社）

忍者大図鑑 人物・忍具・忍術

2017年12月　初版発行
2020年11月　第2刷発行

編／グラフィオ

発行所／株式会社 金の星社
〒111-0056 東京都台東区小島1-4-3
電話／03-3861-1861（代表）
FAX／03-3861-1507
振替／00100-0-64678
ホームページ／http://www.kinnohoshi.co.jp

印刷／株式会社 廣済堂
製本／牧製本印刷 株式会社

NDC210 144P. 25cm ISBN978-4-323-07403-0

Published by KIN-NO-HOSHI SHA,Tokyo,Japan
乱丁落丁本は、ご面倒ですが、小社販売部宛にご送付下さい。送料小社負担にてお取替えいたします。